SGRAMBLO

I Hel a'r plantos

SGRAMBLO

HUW DAVIES

Cyhoeddwyd gyntaf yn 2018
gan Firefly Press
25 Ffordd Gabalfa, Llandaf, Caerdydd, CF14 2JJ
www.fireflypress.co.uk

Ceir cofnod catalog CIP ar gyfer y llyfr hwn gan y Llyfrgell Brydeinig.

ISBN 9781910080962

Cyhoeddwyd y llyfr gyda chymorth Cyngor Llyfrau Cymru.

Dyluniwyd gan Mad Apple Designs

Addasiad Cymraeg gan Elinor Wyn Reynolds

Argraffwyd a rhwymwyd gan 4Edge

1

Y diwrnod cynta ar ôl gwyliau'r haf oedd hi yn Ysgol Gyfun Maesunig. Eisteddai'r ysgol gyfan yn y neuadd yn aros am y prifathro newydd. Doedd neb yn gwybod beth i'w ddisgwyl. Roedd suon wedi bod yn mynd o gwmpas ei fod e'n fwystfil chwe troedfedd wyth modfedd, roedd suon ei fod yn gorrach pedair troedfedd dwy fodfedd afiach hefyd. Dywedai rhai ei bod hi'n fenyw â dannedd melyn a ffon, dywedai rhai eraill ei fod e'n hen ddyn gyda chi (ac mai'r ci oedd yn gwneud yr holl benderfyniadau). Yr hyn yr oedd y rhan fwyaf o bobl eisiau oedd bod y rhywun yna, pwy bynnag yr oedd, yn adfer yr ysgol ac yn rhoi'r ysgol yn ôl ar ei thraed, gan fod yr hen bennaeth, Mr Wigwam, wedi mynd ychydig yn rhyfedd ar ddiwedd y tymor diwethaf.

Dros fisoedd yr haf rhedodd dychmyg y plant ar ras a chreu eu prifathro personol eu hunain, un gyda stêm yn chwythu allan o'i glustiau neu asid batri'n poeri o'i geg wrth iddo weiddi. Gobeithiai Davidde mai rhywun fyddai'n gadael iddo ddal ati gyda'i dynnu lluniau a'i ddarllen fyddai'r pennaeth; rhywun fyddai'n rhoi stop ar Lyndon Lastig a'i gang, eu hatal rhag torri'i bensiliau a thynnu lluniau anweddus dros ei lyfrau ysgol. Teimlai Davidde Bripsyn mai fe oedd yr unig un yn y neuadd oedd am i'r newydd-ddyfodiad anadlu tân, achos mewn difri, allai pethau ddim â bod yn llawer gwaeth. A tasai pawb arall yn teimlo ychydig bach yn ofnus y rhan fwyaf o'r amser, yna mi fuasen nhw yn yr un cwch ag yntau. A byddai'n reit braf cael tipyn bach o gwmni.

Eisteddodd Davidde yno ac aros. Roedd cynnwrf mawr yn y neuadd, pob llygad yn gwibio 'nôl a mlaen yn gyflym, a thu ôl i bob llygad, llechai ofn. Ceisiai'r athrawon dawelu'r plant hynny oedd yn parhau i barablu, er eu bod hwythau'n edrych yn nerfus hefyd.

Yna brasgamodd i ganol y llwyfan.

Gwisgai siwt, gyda gwasgod a thei. Doedd dim bwyd ar y tei, felly edrychai'n well na Wiggy cyn dechrau. Cyrhaeddodd y ddarllenfa, gosod un llaw arni, edrych o gwmpas ar bawb a chadw'i law arall y tu ôl i'w gefn. Safodd yn llonydd am funud. Cymerodd ei amser. Cododd gobeithion Davidde. Dyma ddyn na fyddai'n cymryd unrhyw nonsens gan neb. Tyfodd y tyndra i fod yn annioddefol.

Yna siaradodd.

'Haia bois,' dwedodd e. 'Mae'n hyfryd i fod 'ma!'

Rhoddodd Davidde ei ben yn ei ddwylo. Gallai deimlo Lyndon a'i gang yn ymlacio'n syth, a gallai eu clywed nhw'n meddwl, 'Gawn ni hwyl gyda hwn.' Roedd Davidde yn gobeithio y byddai ei ddwy flynedd TGAU yn yr ysgol yn mynd heibio'n ddigon cyflym, ond nawr, roedden nhw'n teimlo fel dedfryd oes.

Parhaodd y pennaeth i siarad.

'Mae hi'n ddechrau ffresh, bobl, cyfle newydd i chi – ac yn bwysicach, i fi hefyd.'

Arhosodd.

'Gadewch i fi i gyflwyno fy hun. Yr enw yw Evans. Mostyn Evans. Mostyn Bymffordd Evans, yn llawn. Gallech chi 'ngalw i'n Syr, neu Brifathro, ond wy ddim yn lico bod yn ffurfiol fy hun – byddai'n well 'da fi tasech chi'n 'y ngalw i'n Mostyn, neu Moz, neu Evsi hyd yn oed – er byddai'n well 'da fi tasech chi ddim yn 'y ngalw i'n Bummers fel rhai yn fy ysgol ddiwetha i – a dim ond y staff oedd hynny!'

Arhosodd y prifathro a rhoi cyfle i bobl chwerthin. Bu tawelwch.

'Criw anodd,' meddai. 'Beth bynnag, wy am i chi anghofio'r hyn sydd wedi digwydd cyn nawr. Gadewch i ni ddechrau eto. Wy wedi gwneud pwynt o beidio dod i wybod pwy yw'r rhai drwg yma, achos does neb yn ddrwg nes eu bod nhw wedi gwneud rhywbeth drwg. A hyd yn oed wedyn, dy'n nhw ddim yn ddrwg, jyst yn bobl sy wedi gwneud rhywbeth sy ychydig bach yn ddrwg. Ydych chi'n gweld beth wy'n meddwl, bois?'

Gallai Davidde weld yn union beth oedd e'n feddwl. Roedd yn golygu bod y tro yna pan losgodd Lyndon ei dreiners ddim yn cyfri. Roedd yn golygu bod y tro yna y poeroedd Dwayne Tyn yn ei rôl gaws ddim yn cyfri. Roedd yn golygu bod y llechen wedi'i glanhau – yn barod i'w llenwi eto – gyda phoer Dwayne Tyn.

'Wrth i fi yrru yma'r bore 'ma,' parhaodd y prifathro, 'fe gofiais i am Blodwen Seics. Nid hi oedd y teclyn mwya miniog yn y bocs, fel maen nhw'n dweud. A dweud y gwir, roedd hi'n dipyn o gnoc y dorth. Yn dwp – twp fel sledj. Hi fydde'r cyntaf i ddweud hynny amdani ei hunan, cofiwch.

Ond er gwaetha ei diffyg gallu meddyliol, roedd ganddi galon fawr.

'Nawr roedd Blodwen yn dwlu ar ei chi, Smwt. Treuliodd hi a Smwt oriau gyda'i gilydd, am fod ganddyn nhw lawer yn gyffredin, fwy na thebyg. Wy ddim yn dweud bod gan Blod drwyn gwlyb, glustiau main a thafod fawr binc,' meddai gan ddynwared ci a defnyddio ei ddwylo i wneud siâp clustiau a gadael i'w dafod lolian yn dew allan o'i geg a gwneud sŵn fel sbaniel. Gwnaeth e hyn am funud gyfan. Chwarddodd rhai o'r disgyblion iau, ond edrychodd pawb arall arno mewn syndod, yn enwedig y staff.

'Na, yr hyn oedd yn gyffredin rhyngddyn nhw oedd bod gan y ddau galonnau mawr, hynny a bod y ci damed bach yn dwp hefyd. Mae cŵn yn enwog am wneud y dewis iawn yn reddfol, am fod yn y lle iawn ar yr adeg iawn. Ond ddim Smwt. Fydd neb byth yn gwbod beth yn union roedd e'n ei wneud ar y llain o dywod â'r llanw'n dod mewn mor gyflym. Ond fe ddyweda i beth oedden ni yn ei wbod. Roedden ni'n gwbod na fyddai Blodwen am ei weld e'n dioddef ar ei ben ei hun. Roedd hi'n benderfynol o'i gyrraedd ac am aros gydag e hyd nes iddyn nhw gael eu hachub.'

Arhosodd y prifathro a syllu ar y nenfwd, yn

dychmygu Smwt a'i berchennog dewr gyda'i gilydd wrth i'r tonnau gau amdanyn nhw.

'A dyna beth rydw i eisiau oddi wrth bob un ohonon ni. Wy eisiau i ni fod fel Blodwen a Smwt, bob un ohonon ni. Yn helpu'n gilydd, yn synhwyro'r perygl, yn camu mewn pan fod un ohonon ni mewn cyfyng gyngor. Efallai y medrwch chi helpu'ch ffrind, neu rywun nad y'ch chi ei adnabod, efallai; gall fod yn rhywun nad y'ch chi'n ei hoffi, hyd yn oed. Falle mai fi fydd e, Mr Mantofani neu Mrs Ffleg. Yr unig beth wy eisiau gwybod yw y byddwn ni'n gwneud ein gorau dros ein gilydd. Wy'n gwybod y bydda i'n gwneud fy ngorau glas drosoch chi!'

Caeodd ei ddyrnau a gwasgu ei lygaid ynghau'n dynn, dynn. Edrychai fel tasai am grio.

'Wy'n gwybod be chi'n meddwl, o ydw. Beth digwyddodd i Blodwen a Smwt? Shwd ddihangon nhw o'u sefyllfa ofnadwy? Wel, i dorri stori hir yn fyr, wnaethon nhw ddim. Daeth y gwasanaethau argyfwng ddim yn ddigon agos iddyn nhw a buon nhw farw, ond y peth pwysig yw y buon nhw farw gyda'i gilydd, ac wy'n siŵr y cytunwch chi fod hynny'n well na marw ar eich pen eich hunan, yn enwedig mewn sefyllfa mor erchyll: y broses arteithiol o hir o foddi yn y môr agored.

Diolch. Nawr, gadewch i ni arwain o'r cefn gyda'r disgyblion hŷn yn gadael gynta ...'

Gwers gelf oedd gynta gyda Miss Puws-Pyrfis. Roedd hi wedi'i gwisgo mewn du o'i chorun i'w sawdl, fel arfer. Roedd hi'n llawn cyffro ar ddechrau blwyddyn academaidd newydd, ac roedd ei breichiau'n troi fel melin wynt gothig. Arhosodd y dosbarth iddi ddechrau. Roedd Dwayne Tyn wedi dod o hyd i ddarn o glai oren ac roedd e'n gwneud draenog ohono.

Ystafell fawr, hirsgwar oedd y dosbarth celf gyda golau'n llifo mewn drwy'r ffenestri uchel niferus a redai ar hyd ar un ochr yr ystafell. Peintiwyd y byrddau gwaith yn ddu – dywedai Miss Puws-Pyrfis fod hyn yn galluogi'r disgyblion i weithio heb unrhyw beth i dynnu eu sylw nhw. Roedd y waliau'n ddu hefyd am yr un rheswm. Roedd y llawr yn ddu er mwyn gwneud i'r ystafell edrych yn ddyfnach, a'r nenfwd yn ddu er mwyn ei gwneud i edrych yn uwch. Roedd y drws yn ddu, y cadeiriau'n ddu a'r silffoedd yn ddu. Roedd y naddwyr pensiliau'n ddu, y beiros yn ysgrifennu'n ddu a'r rwberi yn ddu. Roedd y bocsys paent yn ddu. Cafwyd ymgyrch unwaith i gael bwrdd gwyn yn yr ystafell ond bu gwrthwynebiad i'r bwrdd am nad oedd yn ddu. Yr ystafell hon oedd yr olaf yn yr ysgol i fod â bwrdd du. Roedd y sialc yn wyn ond cawsai ei gadw mewn bocs du. Doedd Miss Puws-Pyrfis ddim wedi dod o hyd i glai du, felly roedd draenog oren llachar Dwayne yn sefyll allan yn ddramatig iawn.

Safodd Miss Puws-Pyrfis yn llonydd llonydd, a'i dwylo tu ôl i'w chefn.

'Croeso 'nôl, bawb. A diolch i chi am ddewis Celf.'

Edrychodd i fyny tua'r nenfwd a chasglu ei meddyliau ynghyd.

'Fel dach chi'n gwbod, dan ni'n byw mewn byd treisgar iawn, ond Celf ydy'r peth sy'n gallu'n codi ni allan o hynny. Does dim angen sarhau rhywun pan fedrwch chi dynnu llun ohonyn nhw a defnyddio'ch dicter at ddiben cadarnhaol. Does dim angen rhoi cweir i rywun pan allwch chi greu cerflun a mynegi'ch teimlada'n ddiogel. Does dim angen trywanu rhywun pan ...'

'Ti'n gallu stico brwshys paent lan eu trwyne nhw!' gwaeddodd Dwayne.

Roedd Davidde yn casáu Dwayne. Allai e ddim credu ei fod e wedi dewis Celf. Mae'n siŵr ei fod eisiau creu darnau o'i lysnafedd trwyn a'i waed ei hun. Neu, meddyliodd Davidde, mae'n ddigon tebyg y byddai'n well gan Dwayne ddefnyddio llysnafedd a gwaed Davidde, neu ei organau mewnol, hyd yn oed.

'Dwayne, dwi mor falch dy fod ti wedi dewis Celf. Mae gin ti lawar iawn o ddicter i'w reoli.'

'Ai, Miss. Watsha hwn nawr!' Profodd e ei phwynt hi gan gnoi pen y draenog i ffwrdd, fflicio ei ben ei hun tuag yn ôl a phoeri'r pen draenog ar draws y dosbarth, fel bod y pen gwlyb oren yn glanio ar grys gwyn newydd Ceri Barlow. (Ei henw iawn oedd Ceri Barlow, ond oherwydd y ffwdan roedd hi'n ei gwneud am bob peth roedd pawb yn ei galw hi'n Ceri Ffys.)

'Ti'n fochedd, Dwayne Tyn!' llefodd Ceri a rhedeg i ffwrdd i lanhau'r clai oddi ar ei chrys.

'Dwayne, siwgwr,' meddai'r athrawes. 'Roedd dy gerflun di'n hyfryd. Ond doedd ei boeri o dros Ceri ddim cweit mor hyfryd. Dos i ymddiheuro wrth Ceri tra 'mod i'n siarad hefo Davidde a Kaitlinn.'

Kaitlinn Cyff oedd yr unig ddisgybl oedd yn gwneud yn well na Davidde yn eu blwyddyn ysgol. Mewn rhai ffyrdd, roedd ganddyn nhw lawer o bethau'n gyffredin. Roedd y ddau'n cael eu magu gan un rhiant, roedd y ddau ohonyn nhw'n cael canlyniadau gorau eu dosbarth fel arfer, ac roedd y ddau wedi cael enwau cyntaf â sillafiadau amheus. Cafodd eu hathrawon nhw sioc pan allai'r ddau sillafu geiriau fel onomatopoeia a diarrhoea heb unrhyw wall, a hithau'n amlwg bod eu rhieni wedi cymryd mwy o agwedd hap a damwain tuag at sillafu enwau eu plant. Efallai mai dyna a wthiodd y ddau ymlaen i wneud cystal yn yr ysgol. Efallai. Ond roedd un peth yn sicr – roedden nhw'n cystadlu yn erbyn ei gilydd, ac roedd yn frwydr y byddai Kaitlinn yn ei hennill fel arfer; er bod Davidde yn dynn ar ei sodlau yn y gwersi Celf. Roedd rhai pethau y medrai Davidde eu gwneud gyda'i bensil na fyddai Kaitlinn byth yn breuddwydio medru eu gwneud. Un diwrnod rhedodd Miss Puws-Pyrfis dros fochyn daear ar y ffordd i'r ysgol, a'i ladd (byddai hyn yn digwydd yn aml iawn iddi wrth iddi yrru am yr ysgol), aeth hi yn ôl amdano er mwyn ei ddefnyddio fel gwrthrych ar gyfer tasg tynnu llun yn y dosbarth. Gosododd y mochyn daear cywasgedig ar y bwrdd yn artistig a gofynnodd i'r dosbarth chwilio am y prydferthwch o'u blaenau. Rhywsut, daeth Davidde o hyd iddo. Roedd ganddo ddawn ryfedd am dynnu llun anifail oedd newydd farw ar y ffordd mewn modd na allai Kaitlinn gystadlu ag ef.

'Dw i mooor hapus eich bod chi'ch dau wedi dewis Celf. Celf ydy'r peth gora rioed. Pobl dda sy'n astudio Celf.'

'Miss,' holodd Kaitlinn. 'Beth am Hitler?'

Ceisiodd Davidde beidio â rholio'i lygaid. Roedd hi'n meddwl bod hi'n gwybod y cwbl.

'Be amdano fo, Kaitlinn?'

'Wel, roedd e'n dda ar neud Celf, Miss. Weles i raglen deledu amdano fe, ond nath e rai pethe drwg, yndo fe?'

Meddyliodd Miss Puws-Pyrfis am hyn am eiliad.

'Do, mae'n debyg yr astudiodd o Gelf ar ryw adeg yn ei addysg, mae hynny'n gywir.' Gwgodd hi wrth feddwl am rywun oedd yn gallu gwneud llun go dda a bod yn gyfrifol am gymaint o ddrygioni.

'Fe wnaeth o astudio Celf, Kaitlinn, ond ddim hefo fi!

'Rwan 'ta, chi'ch dau, mae gin i dipyn bach o newyddion i chi. Gan fod gynnach chi gymaint o dalent, dwi 'di penderfynu trio rhywbath gwahanol efo chi leni. Mae'n rhywbath nad ydw i wedi'i drio o'r blaen, felly bydd yn rhaid i chi fy helpu i. Dwi eisiau i chi wneud y cwrs mewn blwyddyn yn hytrach na mewn dwy, dwi ddim eisiau i chi ddiflasu ar y pwnc. Mae tri phrosiect i chi eu gwneud, a rhaid gorffen y cyntaf cyn hannar tymor mis Hydref. Bydd arholwr yn dwad i edrych ar eich gwaith chi, felly mae'n hynod bwysig bod y gwaith yn barod.'

'Ond be wnawn ni yn yr ail flwyddyn, Miss?' mynnodd Kaitlinn ofyn.

'Fe allwn ni wneud pethau mwy anodd – syniada mwy beiddgar, llunia mwy, gwell anifeiliaid wedi'u lladd ar y ffordd!' Roedd hi'n amlwg wedi'i chynhyrfu a gadawodd nhw i feddwl am y cynnig, gan droi i helpu Dwayne dynnu'r clai roedd Ceri Ffys newydd ei wasgu ar ei ben allan o'i wallt.

'Mae'n swnio fel bod Miss yn rhoi tamed bach o bwyse arnon ni,' meddai Davidde.

'Pwyse? Pwyse? Tria di fod yn fenyw ar dy ben dy hunan yn y cwm 'ma, fel ma Mam. Dyna beth yw pwyse.'

'Dim ond gweud o'n i,' meddai Davidde.

'Wel, paid. Ti'n neud dy hunan i edrych yn pathetig. Pwyse. Alla i ddelio gyda thamed bach o bwyse,' meddai hi. 'Wy'n delio gyda hynny bob dydd.' Edrychodd i lawr ei thrwyn ar Davidde a cherddodd hi i ffwrdd, a'i hosgo fel ceffyl cynddeiriog â mwng o wallt coch.

2

Yr amser cinio hwnnw, fe aeth Davidde i'r llyfrgell fel arfer. Weithiau byddai'n siarad gyda'r llyfrgellydd, Mrs Twba, menyw hŷn gyda gwallt llwyd wedi'i osod ar siâp cwch gwenyn. Clywodd Davidde stori ei bod hi'n mynd allan ar feic modur ar benwythnosau. Byddai'n meddwl yn aml ynglŷn â sut oedd hi'n cael yr holl wallt mewn i'w helmed, neu efallai fod ganddi helmed arbennig, un hirgrwn fyddai'n gallu bod yn gartref i'w phen anhygoel o hir. Roedd hi wedi gadael Davidde i mewn i'r llyfrgell, ond yna gadawodd er mwyn gwneud galwad ffôn.

Doedd Davidde ddim wedi gweld y llyfrau am seryddiaeth ers chwech wythnos. Darllenodd bob un o gawr i glawr ganwaith, ac roedd fel cwrdd â hen ffrindiau. Roedd e'n dal i hoffi troi'r tudalennau i edrych ar y lluniau o'r planedau a'u lleuadau, ac ar y ffotograffau o sêr pellennig a galaethau. Roedd edrych ar y lliwiau a'r siapau egsotig ar y papur sgleiniog yn ffordd dda o ymlacio, yn ei atgoffa fod yna bethau'r tu hwnt i'r dref hon, y tu hwnt i'r blaned hon, hyd yn oed. Roedd arogl y gyfrol yn rhoi cysur iddo. Roedd ar ei ben ei hun ac roedd yn ddiogel. Clywodd y drws yn agor ar ochr arall yr ystafell. Aeth e 'nôl i ddarllen am Nebiwla'r Cranc.

Yna'n sydyn roedd ei ben wedi symud chwech modfedd o'r fan lle dylai fod, a theimlodd boen ar gefn ei ben. Trodd Davidde a gwelodd Dwayne Tyn yn gwenu'n wyllt ac yn sgrechian, 'FFEIT LYFRAU! FFEIT LYFRAU' yn groch.

Sylweddololodd Davidde ei fod wedi cael ei daro gan lyfr a daflwyd gan Dwayne. Roedd gweddill gang Lyndon Lastig wedi cyrraedd yr ystafell ac yn rhedeg o gwmpas yn tynnu llond breichiau o lyfrau oddi ar y silffoedd. Roedd y gang yn gwisgo'n union yr un dillad â'i gilydd, siacedi hwdi a chadwynau aur. Fe rannon nhw'n ddau grŵp naill ochr y llyfrgell a dechrau taflu llyfrau at ei gilydd, gan guddio tu ôl i ddesgiau a moelyd cadeiriau er mwyn creu baricêds gwell. Taflodd Lyndon Lastig *Hanes Cymru* at Craig

Smyrffit a'i glatsio fe reit yn ei wyneb. Trawodd Craig yn ôl gyda *Barti Ddu*, a chwalodd yn rhacs wrth gael ei daflu, gan greu cwmwl o dudalennau. Sylweddolodd Dwayne na fyddai llyfrau clawr meddal o unrhyw werth a chripiodd i ffwrdd i chwilio am *Blodau Cymru.* Parhaodd y frwydr; gyda llyfrau ffeithiol yn gwneud yn well na ffuglen i blant. Allai Davidde ddim gadael, ac ofnai gael ei frifo neu gael ei hun i drwbwl. Roedd e'n teimlo dros Mrs Twba hefyd; doedd dim modd iddo roi stop ar hyn, a byddai hi mor siomedig. Ymddangosodd hi wrth y drws, cymryd un cip ar y llanast ac yna rhuthro i ffwrdd i chwilio am help.

Roedd llyfrau'n dal i hedfan drwy'r awyr, a'r bechgyn yn gweiddi ac yn rhegi at ei gilydd. Wrth i bethau gyrraedd uchafbwynt, gwyddai Dwayne beth i'w wneud. Daeth o hyd i gopi o *Petrograd* gan William Owen Roberts – jyst y peth. Mawr, trwchus a thrwm. Taflodd Dwayne y llyfr gyda holl egni bôn ei fraich.

Yn union cyn hynny, fe gyrhaeddodd help Mrs Twba, sef y prifathro newydd. Cerddodd mewn i'r llyfrgell fel arwr, a sefyll yn llonydd ar ganol y llyfrgell, gyda'i ddwylo ar ei gluniau. Rhoddodd y bechgyn y gorau iddi fesul un. Roedden nhw'n gwybod eu bod nhw mewn trwbwl wrth iddyn nhw edrych ar yr holl lyfrau ar y llawr, y gwastraff, y gyflafan ddeallusol a grëwyd ganddyn nhw.

Ac roedd hynny heb y llyfr yr oedd Dwayne newydd ei daflu.

Gwelodd Davidde bob dim o'r fan lle'r eisteddai. Gwelodd y prifathro'n cerdded mewn ac aros, gwelodd Dwayne yn lluchio'r llyfr o'i law. Teithiodd ar siâp bwa drwy'r ystafell, y meingefn gyntaf – shot berffaith. Cododd y prifathro ei law ac agorodd ei geg i siarad. Aeth mor bell â dweud 'Bois ...' pan fwrodd y llyfr e'n syth ar ei dalcen. Fe gwympodd e'n fflat i'r llawr a diflannu dan y desgiau. Roedd tawelwch llwyr.

Ailymddangosodd Mostyn Evans eiliadau'n ddiweddarach, yn rhwbio'i ben. Edrychai Lyndon a'i ffrindiau'n ofidus.

'Gwrandewch bois, dwi ddim am ddechrau gweiddi,' meddai'r prifathro.

Edrychodd Lyndon a'i griw tua'r llawr pan oedd e'n edrych arnyn nhw bob yn un, gan geisio peidio â chwerthin. Roedd unrhyw beth yn bosib nawr.

'Y peth yw, bois, dwi'n deall bod pawb yn llawn hwyl ar eich diwrnod cyntaf 'nôl, ac mae ychydig bach o giamocs i'w ddisgwyl. Ro'n i'r un peth fy hun, pan o'n ni'r un oed â chi, bois – tynnu'r gwynt o deiars car yr athro Daearyddiaeth, er enghraifft. Doedd e ddim yn hapus, alla i ddweud wrthoch chi. Yn enwedig pan gollodd e ei drwydded am ddwy flynedd.'

Piffiodd Dwayne fyny llewys ei hwdi.

'Y peth yw, mae Mrs Twba'n ypset, felly fe fydden ni'n gwerthfawrogi tasen ni'n gallu taclusо'r lle rhyw damed bach. Allwch chi wneud hynny, bois?'

Dechreuon nhw dacluso heb ymdrechu'n rhy galed ac aeth Davidde yn ôl i ddarllen ei lyfr. Sylwodd Lyndon ar hyn.

'Syr. Syr?'

Cymerodd y prifathro ddim sylw o Lyndon.

'Syr? Mostyn?'

Dim ateb.

Triodd Lyndon eto. 'Evsi?'

'Ie, beth yw e, Lyndon bach?'

'Pam nag yw Davidde yn helpu, Syr? Fe ddechreuodd e. Fe daflodd y llyfrau aton ni pan ddethon ni mewn. Wy ddim gweld pam ni'n gorfod taclusо'r llanast yma. Ei fai ei oedd e a mae e'n eistedd yna'n darllen. Fel merch.'

Cerddodd y prifathro draw at Davidde.

'Iawn 'te 'machgen i, amser i helpu mas. Dere di.'

Teimlodd Davidde ei wyneb yn cochi.

'Ond wnes i ddim byd.'

'Dere nawr 'machgen i, os yw pawb yn helpu, wnaiff e ddim cymryd yn hir.'

Wrth i'r prifathro siarad â Davidde, gadawodd y gang eu tacluso a sleifio i fyny ato.

'Dere Dai, o't ti'n neud e hefyd,' dywedodd Dwayne.

'Ie, paid â bod yn slei, myn,' cwynodd rhai lleisiau eraill.

'Maen nhw'n llygad eu lle, Dave. Paid â bod yn slei. Po fwya o bobl sy'n helpu, cyflyma y down i ben ac y gallwn ni anghofio am y cwbl. Neu oes rhaid i fi gael gair â ti yn fy swyddfa i?'

Roedd hyn yn brofiad hollol newydd i Davidde, achos doedd e erioed wedi bod mewn unrhyw fath o drwbwl o gwbl yn ei fywyd. Doedd e ddim yn grafwr o unrhyw fath, ond roedd e'n casáu unrhyw wrthdaro ac yn casáu siomi pobl, yn enwedig oedolion. Doedd bod mewn trwbwl ddim yn dod yn naturiol iddo fe.

'Oes e, 'machgen i? Oes yn rhaid i fi gael gair â ti?'

Roedd Davidde yn ymwybodol o gang Lyndon Lastig yn crechwenu arno a theimlodd ei wyneb yn llosgi gyda chywilydd a dicter.

'Ma'r bechgyn 'ma wedi bod yn dwp, ond o leia maen nhw wedi bod yn onest. Wyt ti am fod yn onest, neu wyt ti am fod yn slei? Achos alla i ddim diodde hynny, ddim yn fy ysgol i.'

Cododd Davidde ar ei draed a dechreuodd gadw'r llyfrau. Roedd ei dymer yn berwi. Cadwodd ei lygaid yn edrych tua'r llawr achos roedd e'n gallu eu teimlo nhw'n dyfrio. Y peth olaf roedd angen arno oedd bod y criw yna'n meddwl ei fod e'n crio. Doedd dim rhaid iddo boeni, achos wrth iddo roi'r llyfrau yn eu holau roedd y gweddill wedi sleifio allan o'r llyfrgell am fwgyn bach cyflym cyn i'r gloch ganu am wersi'r prynhawn.

Pan orffennodd Davidde, cafodd syndod i weld bod y prifathro'n dal yno.

'Beth yw dy enw di, grwt?'

'Bripsyn. Davidde Bripsyn.' Dyma'r tro cyntaf iddo siarad ag athro heb ddefnyddio Syr neu Miss i orffen ei frawddeg.

'Gwranda arna i, Bripsyn 'y machgen i, wy'n dy wylio di. Ac mi fydda i'n dy wylio di, yn ofalus iawn.'

Ac ar hynny, gadawodd.

Doedd dim golwg o'i dad pan gyrhaeddodd adre o'r ysgol, felly gwnaeth Davidde ei waith cartref ac yna aeth drws nesa i alw ar Mr Leyshon. Roedd Mr Leyshon wedi treulio tair awr hapus y prynhawn hwnnw'n glanhau ei Volvo arian oedd fel pin mewn papur, ond nawr fe safai'n edrych allan o ffenest ei ystafell fyw gan ddefnyddio binociwlars. Roedd e'n gandryll. Roedd yna rywbeth a godai ei wrychyn o hyd. Ffynhonnell ei ddicter presennol oedd y grŵp o fechgyn a yrrai eu beiciau modur sgramblo ar y tir agored wrth droed y mynydd, sef y 'Rec'. Doedd hi ddim yn hollol glir beth oedd ei wrthwynebiad, ai'r sŵn, neu'r ffaith eu bod nhw'n corddi'r tir ac yn ei wneud yn beryglus i gerddwyr, heb sôn am y bechgyn ar y beiciau. Doedd neb yn gwybod. Yr unig beth wyddai Mrs Leyshon a Davidde oedd ei fod wedi gwylltio'n gacwn lân.

'Drychwch! Drychwch mewn difri! Maen nhw wrthi eto! Dim treth nac yswiriant, greden i. Ddylen nhw fod adre'n gwneud eu gwaith cartre. Pam nad y'n nhw'n gwneud eu gwaith cartre, Davidde?'

'Falle bo nhw wedi gorffen.'

'Wedi gorffen! Wedi gorffen! Maen nhw wedi bod mas fanna ers orie! Wedi gorffen! Fe ffonies i'r heddlu am bedwar o'r gloch ond does dim sôn amdanyn nhw.'

Pan nad oedd Mr Leyshon yn grac, roedd ganddo natur ddigon tawedog. Doedd e ddim yn dweud llawer, a hyd yn oed pan ddywedai rhywbeth doedd ganddo ddim cyswllt â phwnc y sgwrs yn aml iawn. Unwaith, pan oedd Davidde a Mrs Leyshon wedi bod yn trafod cŵn, eisteddodd Mr Leyshon yn syth a datgan, 'Rhaid i Tsieina newid!' Dro arall, roedd Davidde wedi bod yn drist ac roedd Mrs Leyshon yn cael hwyl ar godi ei galon. Ac o nunlle, edrychodd Mr Leyshon tua'r gorwel a gweiddi, 'Paid â chanu'r banjo, cana'r ffidil yn ei le!' a gadael yr ystafell. Roedd yn gwneud ymweld â drws nesa'n ddiddorol, a dweud y lleia.

Pan daeth Davidde adre roedd ei dad wedi cyrraedd yn ôl o'r gwaith. Eisteddai wrth fwrdd y gegin yn smygu ac yn yfed seidr. Wnaeth e ddim edrych lan wrth i Davidde ddod mewn.

'Ble ti 'di bod? Drws nesa gyda Mr Diflas ife?'

'Ie.'

'Am beth o'dd e'n conan heddi 'te?'

'Y bois ar y beiciau sgramblo lawr ar y Rec eto. Mae e'n dweud eu bod nhw'n niwsans.'

Ysgydwodd ei dad ei ben.

'Mae e'n conan achos bod bois ar eu beics. Be mae fe'n ddisgwyl? Nesa bydd e'n conan bod dŵr yn wlyb, neu bod pren yn llosgi. Mae bois a beics yn mynd 'da'i gilydd fel pysgod a sglods. Pan o'n i dy oedran di ...'

Roedd Davidde wedi clywed hyn i gyd o'r blaen. Pan oedd Ralph Bripsyn yr un oed â Davidde, fe oedd y sgramblwr gorau'n y dyffryn. Byddai'n rasio yn erbyn unrhyw un a feiddiai ei herio, ac nid dim ond eu curo nhw fyddai e'n ei wneud ond byddai'n eu hala nhw mas am fwgyns. (Doedd Davidde ddim yn deall beth oedd ystyr hyn, ond roedd y ffordd roedd ei dad yn sôn amdano'n gwneud iddo swnio fel tipyn o beth.)

Roedd Davidde yn ymwybodol hefyd ei fod yn dipyn bach o siomedigaeth i'w dad. Doedd e ddim wedi cymryd at chwaraeon nac at sgramblo fel wnaeth ei dad, a golygai hyn nad oedd ganddyn nhw lawer i'w drafod. Doedd hynny ddim yn broblem pan oedd ei fam yn fyw, achos roedd hi am iddo wneud yn dda yn yr ysgol, ond fe gafodd hi gancr a bu hi farw, ac roedd yn rhaid i

Davidde a'i dad ymdopi, dim ond y ddau ohonyn nhw ar eu pennau eu hunain. Roedd popeth yn iawn y rhan fwyaf o'r amser, ond weithiau teimlai Davidde y dylai gael ei hun mewn i drwbwl dim ond er mwyn cadw ei dad yn hapus. Roedd ei dad yn enwog yn yr ardal am iddo gael ei daflu mas o'r ysgol ar ei ddiwrnod ola achos fe ddefnyddiodd wn dŵr yn llawn pi-pi a'i chwistrellu dros y prifathro. Y peth oedd, doedd Davidde ddim yn hoffi cael ei hun mewn i helynt ac roedd e'n hoffi gwneud ei waith ysgol. Doedd ei dad ddim yn deall hyn o gwbl. Ystyriodd Davidde sôn wrth ei dad am y prifathro newydd a'r ffordd y siaradodd e gyda Davidde yn gynharach y diwrnod hwnnw, ond roedd hyd yn oed meddwl am y peth yn gwneud i fochau Davidde wrido'n fflamgoch a'i lygaid i ddyfrhau. Roedd am adael i bethau fod. A pheth bynnag, y peth diwetha roedd e eisiau oedd rhoi esgus i'w dad alw yn yr ysgol a dechrau rhefru a gweiddi. Byddai hynny'n rhy ofnadwy.

Aeth gweddill y noson heibio'n dawel. Fe gawson nhw wy a sglods i de ac yna aeth ei dad draw i'r Clwb. Gadawyd Davidde ar ei ben ei hun. Pan aeth hi'n dywyll, tynnodd ei finociwlars allan er mwyn edrych ar y sêr. Roedd ganddo dripod ac roedd wedi llwyddo i osod y binociwlars arno er mwyn iddo allu gweld yn well. Bu'n cynilo ei arian i brynu telesgop go iawn ac roedd Mr Leyshon am ei helpu i ddewis un. Roedd Mr Leyshon yn arbenigwr ar wylio a chadw llygad ar bethau.

Canolbwyntiodd Davidde ei olygon ar alaeth Andromeda. Roedd y peth yn anghredadwy iddo bod modd gweld rhywbeth oedd mor bell i ffwrdd, rhywbeth oedd nid yn unig y tu allan i gysawd yr haul, ond ymhell tu fas i'r alaeth hon. Dyma'r math o beth oedd yn hala pen Davidde mas am fwgyns.

Roedd e'n cysgu cyn i'w dad ddod yn ôl. Breuddwydodd ei fod e lawr ar y Rec yn edrych ar Lyndon a Dwayne a'r gang yn chwarae o gwmpas ar eu beiciau. Ro'n nhw'n gwneud *wheelies* ac yn gwneud eu fersiwn arbennig nhw o jowstio-sgramblo, lle roedd y beicwyr yn rasio at ei gilydd a phoeri at eu gwrthwynebwyr. Roedden nhw'n mwynhau mas draw, a welon nhw ddim o Davidde yn eu gwylio o bellter. Dyna pryd y gwelodd Davidde y Marchog Du am y tro cynta.

Roedd ganddo feic sgramblo arian gloyw â'r egsôst crôm mwyaf sgleiniog erioed, gwisgai ledr duach na du o'i gorun i'w sawdl. Gyrrodd y Marchog Du i fyny at y graig uwchlaw'r Rec ac aros ar y brig. Arhosodd Lyndon a'r bois, rhoddodd Dwayne y gorau i boeri a beicio am foment, hyd yn oed. Roedd pawb yn edmygu'r ffigwr diwyneb pwerus uwch eu pennau. Roedd yr helmed yn ddu, a doedd dim modd gweld unrhyw wyneb drwy'r sgrin. Yn araf bach, cododd y Marchog ei law fanegog a phwyntio.

At Davidde.

Galwodd y ffigwr tywyll e draw. Allai Davidde ddim credu iddo gael ei ddewis yn hytrach nag unrhyw un o'r bechgyn eraill. Roedd e'n ansicr, ac ychydig bach yn ofnus, ond ufuddhaodd i'r gorchymyn serch hynny. Cerddodd draw, drwy griw Lyndon, a edrychai ar y cyfan yn syfrdan. Roedd y Marchog yn hollol lonydd, fel pe bai wedi'i wneud o garreg.

Dringodd Davidde y graig at y Marchog. Pan oedden nhw wyneb yn wyneb, rhoddodd y Marchog ei ddwylo ar ddwy ochr yr helmed a dechrau codi'r sgrin yn araf bach. Roedd yn dywyllwch dudew y tu mewn. Plygodd y Marchog ei ben fel petai'n gweddïo, ac roedd y gwydr yn gyfan gwbl ar agor nawr. Cododd pen y Marchog a gallai Davidde weld mewn i'r helmed a gwelodd fod gan y Marchog bâr o ...

'*Prawn balls*, Dai? Fi wedi cael *Chinese* i ni, boio!'

Roedd Dad yn ei ôl, ac yn eistedd ar wely Davidde yn rhannu tec-awê gydag e. Edrychai ychydig yn hapusach nawr, fel oedd yn dueddol o edrych pan fyddai'n dod yn ôl o'r dafarn.

''Bach yn gynnar i fod yn cysgu, boio?'

''Di blino, Dad.'

Rhoddodd Davidde gynnig ar fwyta un o'r peli corgimwch, ond roedd yn gwneud iddo deimlo'n sâl, fel tasai'n bwyta llygad. Ond llygad pwy? A beth oedd y neges oedd ganddyn nhw iddo fe?

Gadawodd ei dad e i fynd yn ôl i gysgu, ond cawsai Davidde hi'n anodd i ymlacio, ac fe gafodd noson fratiog o gwsg, er wnaeth e ddim breuddwydio am y Marchog Du eto.

O leia, ddim y noson honno.

3

Roedd hi'n amser am wers Gelf eto. Roedd Dwayne Tyn wedi cael hyd i gyllell ac yn cerfio darnau mawr o bren o'r bwrdd. Pan gafodd stŵr, fe geisiodd gerfio darnau mawr o gorff Ceri Ffys. A phan gafodd stŵr am hynny, dechreuodd gerfio darnau mawr o'i gorff ei hunan.

Esboniodd Miss Puws-Pyrfis am y cwrs dwy flynedd i'r dosbarth a'u helpu i gychwyn ar eu prosiect cynta, sef sgetsio draenog fflat. Cymerodd hi Kaitlinn a Davidde naill ochr er mwyn siarad am ran gynta eu cwrs nhw.

Agorodd hi lyfryn oedd â'r rhestr prosiectau ynddo.

'Wrth reswm bydd yn rhaid i chi gadw cofnod o'ch holl waith cynllunio a pharatoi, a thynnu'r cyfan at ei gilydd ynghyd â'ch gwaith terfynol chi er mwyn gneud job go iawn ohoni. Rŵan 'ta, dyma chi – dewiswch un o'r rhestr yma o bump!'

Curodd ei dwylo mewn cyffro.

'Un: Llysnafedd drwy'r Oesoedd. Hmm – diddorol – ma hwn yn awgrymu cerfluniaeth i mi. Dau: Pŵ Ceffyl – Kaitlinn, gallai hynna fod yn un i chdi!'

'Beth!?' ebychodd Kaitlinn.

'Dyna beth mae'n ddeud. Drycha ar y rhestr Susnag, mae'r argraffydd 'di bod yn cambihafio.'

Edrychodd hi ar y Saesneg.

'Ah – *Horse Power*, ddylai o ddeud Pŵer Ceffyl! Mae hynny yn swnio fatha rhwbath i chdi Kaitlinn.'

Roedd Kaitlinn yn dwlu ar geffylau, a chyda'i hwyneb reit hir a'i thrwyn go fawr, meddyliai Davidde ei bod hi wedi dechrau edrych fel un. Wnaeth Miss Puws-Pyrfis ddim awgrymu y dylai Kaitlinn ystyried gwneud hunanbortread.

'Tri: Creu er mwyn Torri, Torri er mwyn Creu – diddorol. Pedwar: Awyr y Nos – rhywbeth i chdi ella, Davidde – mi wyt ti'n hoff iawn o blanedau ac astroleg a phetha felly.'

'Mae astroleg yn wahanol i seryddiaeth, Miss.'

'Beth bynnag. Pump: Potes Pterodactyl – waw – mae hynna'n swnio'n reit rhyfedd i fi, a dwi'n athrawes Gelf!'

Gofynnodd hi i'w disgyblion gradd A hi beth oedden nhw'n feddwl.

'Ceffylau,' meddai Kaitlinn, gan feddwl y medrai hi ddefnyddio'i cheffyl, Alffi, mewn rhyw fodd.

'Yr un am y nos Miss,' atebodd Davidde. Roedd am brynu'r telesgop yr wythnos hon. Roedd Mr Leyshon wedi bod yn ei helpu i'w ddewis ar-lein ac roedden nhw wedi dod i benderfyniad erbyn hyn.

'Arbennig. Mi fedrwch chi ddechra ar ychydig o dudalenna cynllunio rŵan, ac mi fysa'n hyfryd tasach chi'n medru dwad yn ôl ata i efo rhwbath i'w ddangos i mi, a gyda rhywfath o syniad o beth fydd eich gwaith terfynol chi.'

Fe aethon nhw at fyrddau gwahanol er mwyn casglu rhai syniadau ynghyd. Dechreuodd Kaitlinn weithio â'i chefn at Davidde. Pan oedd hi'n siŵr bod Miss allan o'i chlyw dechreuodd ddweud rhywbeth yn Saesneg.

'I'm doing a picture of Alffi. What are you sketching?'

'Uranus.'

Rholiodd Kaitlinn ei llygaid.

'Dyna'n gwmws beth wy'n feddwl am bwyse. Bob dydd. Bob un dydd drewllyd.'

Doedd gan Davidde ddim syniad pam roedd Kaitlin mor anhapus.

'Llun o beth ti'n neud, byt?'

Dwayne oedd yno. Roedd Miss Puws-Pyrfis wedi ceisio'i wahanu fe a Ceri am ei fod wedi ceisio'i chnoi hi. Dim ond chwarae o gwmpas oedd e, meddai Dwayne. Ond roedd Miss yn sicr y byddai'n fwy diogel tasai'r ddau'n eistedd ar wahân. Roedd Davidde yn poeni am gael Dwayne yn eistedd nesa ato fe, ond ceisiodd beidio â dangos hynny. Yr unig droeon y siaradodd Dwayne ag e cyn hyn oedd er mwyn ei alw'n hen declyn twp ac enwau hyfryd tebyg pan fyddai Davidde yn gollwng y bêl mewn gêm o rygbi.

Dangosodd Davidde ei blaned i Dwayne.

'Ma hwnna'n rili dda, byt.'

Gofynnodd Davidde i Dwayne am y llun yr oedd yntau'n gweithio arno.

'SMX-600, byt. Mae Dad yn prynu un i fi ar y penwthnos.'

Edrychodd Davidde ar y llun a cheisiodd ddyfalu beth yn gymws oedd SMX-600. Doedd y llun ddim yn help iddo. Edrychai fel petai wedi'i wneud gan fwnci hollol bananas oedd yn benwan ar ôl yfed gormod o sgwash oren rhad.

'Ti'n gallu helpu fi gyda'r olwyn ar y blaen, byt? A'r 'elmed.'

Gallai Davidde ddeall yn fras beth oedd y llun i fod wedi iddo glywed cwestiwn Dwayne. Beic sgramblo oedd e, gyda'r beiciwr yn pwyso 'nôl er mwyn gwneud *wheelie.*

'Ma fe'n mynd o ddim i chwe deg mewn pump eiliad, *thirty brake horsepower*, y cyflymder ucha yw chwe deg wyth milltir yr awr! Motocross, boi, raso ar feiciau sgramblo!'

Pwysodd Dwayne yn ôl ar ei stôl yn union fel tasai'n reidio'r beic, ei ddwylo ar y bariau, ei law dde'n rhoi gwasgfa go dda i'r sbardun.

'Mwaaaaaa! Mwaaaaaaaaaaaaaa!' gwaeddodd nerth esgyrn ei ben, yn dynwared sŵn yr injan, gan newid traw ei lais wrth iddo newid gêr.

Ceisiodd Davidde ei helpu gyda llun yr olwyn flaen a'r helmed.

'Diolch, byt, ma hwnna'n hollol grêt.'

Oedodd am eiliad, yna gwaeddodd, 'Miss, Miss, 'co beth fi wedi neud!'

Aeth y wers heibio, ac roedd Davidde yn synnu'n dawel bach ei fod yn mwynhau eistedd ar bwys rhywun drwy gydol y wers, hyd yn oed os mai Dwayne oedd hwnnw. Alwodd Dwayne ddim ohono fe'n declyn twp na dim byd arall cas chwaith.

Yn ôl yn y tŷ ar ôl ysgol, roedd Davidde yn ei ystafell yn cyfrif ei arian. Gyda'r arian poced diwetha gafodd oddi wrth ei dad, roedd ganddo jyst digon i brynu'r telesgop a'r tripod y bu Mr Leyshon yn ei helpu i'w ddewis oddi ar y we. Bu Davidde yn cynilo'i holl arian pen-blwydd a Nadolig ers rhai blynyddoedd, a nawr roedd e'n barod. Cyfrifodd yr arian unwaith yn rhagor er mwyn gwneud yn siŵr ei fod wedi cyfrif yn iawn, yna aeth drws nesa a churodd ar y drws. Roedd Davidde am roi'r arian i Mr Leyshon a byddai yntau'n ei archebu ar y we gan ddefnyddio'i gerdyn. Doedd dim ateb. Rhoddodd Davidde gynnig arall arni. Rhyfedd iawn – byddai Mr Leyshon yn y tŷ gyda'r prynhawn fel arfer.

Yr oedd Mr Leyshon adre, ond roedd yn ei dŷ gwydr yn rhoi tendans i'w domatos. Roedd e'n dwlu bod yno. Doedd e ddim yn gallu clywed bechgyn ar eu beiciau sgramblo yno, a doedd e ddim yn colli ei limpin â'i gyfrifiadur anwadal, dim ond fe a'i domatos oedd yno. Y tŷ gwydr oedd ei hoff le, yr unig le ble gallai ddod o hyd i'w ganol llonydd distaw. Wyddai e ddim beth fyddai'n ei wneud heb y tŷ gwydr.

Roedd Mr Leyshon yn mynd yn hŷn ac yn fwy byddar, ac roedd Mrs Leyshon wedi gadael y tŷ i fynd ar neges i'r siop, felly doedd hi ddim yno i ateb y drws. Pendronodd Davidde dros beth ddylai ei wneud.

Ac wrth iddo feddwl, gwelodd rywbeth na fyddai wedi meddwl ddwywaith amdano cyn y wers Gelf heddiw.

Roedd Dwayne Tyn yn gwthio beic sgramblo tuag ato ar hyd y stryd. Ar ddiwrnod arferol, byddai Davidde wedi osgoi dal llygad Dwayne, ond nawr ar ôl y wers Gelf, teimlai'n ddigon hyderus i dorri gair ag e. Gwthiodd Dwayne y beic heibio iddo.

'Iawn, Dwayne?'

'Iawn, byt?'

'Ble ti'n mynd?'

'Wy'n gwerthu'r beic, ma un newydd yn dod dros y penwthnos. Wy'n mynd ag e lawr at Phil i weld faint bydde fe'n fodlon rhoi amdano fe.'

Garej Phil oedd y fan lle gweithiai tad Davidde. Meddyliodd Davidde am rai eiliadau. Dechreuodd syniad rhyfedd ffurfio yn ei ben. Dilynodd Davidde yn ôl traed Dwayne.

'Faint ti'n disgwl ca'l amdano fe?'

'Gymera i tua canpunt.'

Teimlodd Davidde yr arian yn ei boced. Gwallgofrwydd oedd hyn. Beth yn enw pob dim call fyddai Davidde yn ei wneud gyda hen feic sgramblo Dwayne? Ond wedyn, pwy oedd y Marchog Du? Efallai mai arwydd oedd hyn.

'Roia i ganpunt i ti amdano fe.'

'Pwy? Ti?'

'Ie. Fi.'

'A ble ti'n mynd i gael yr arian?'

Er syndod i Dwayne, tynnodd Davidde yr arian o'i boced a'i gyfrif i'w law.

'Hei, ti'n siŵr am hyn, byt?'

'Byth wedi bod yn fwy siŵr!'

Edrychodd Davidde ar y beic a chrafodd ei ben.

'Sa i wedi neud hyn o'r blaen – bydd angen cwpwl o wersi arna i.'

'Wy'n gallu helpu, byt, dim problem.'

Trodd Dwayne y beic o amgylch er mwyn iddyn nhw fynd yn ôl tua'r Rec.'

'Shwd ydw i'n ei ddechrau e?'

'Rho hwn ar dy ben caled cyn neud unrhyw beth.'

Rhoddodd Dwane helmed i Davidde. Gwisgodd yr helmed a thynnu'r sgrin lawr. Roedd e'n dechrau teimlo'n wahanol.

'Roia i *pen-knife* i ti hefyd, fel rhan o'r *deal.* Ti byth yn gwbod, galle fe ddod yn handi,' meddai Dwayne. Cafodd Dwayne Davidde i eistedd ar y beic.

'Ti ddim fod i neud hwn ar y pafin go iawn ond mae'n iawn nawr achos sneb 'ma. Jyst bydd yn ofalus. Reit, mae hi yn niwtral – tania hi.'

Doedd Davidde ddim yn gwybod beth i'w wneud.

'*Kick starter* – dy droed dde, myn.'

Roedd yr injan yn rhedeg.

'Nawr, refa'r injan – llaw dde, byt.'

Rhuodd y beic. Doedd telesgops ddim mor gyffrous â hyn.

'Tynna'r clytsh – llaw chwith. Reit, rho hi mewn gêr, defnyddia dy dro'd!'

Rhoddodd Davidde y beic mewn gêr, ond doedd e ddim yn barod am bŵer sydyn beic Dwayne. Trodd yr olwyn gefn yn wyllt, ac am fod Davidde yn pwyso yn ôl, cododd yr olwyn flaen i'r awyr a syrthiodd Davidde oddi ar y beic. Daliodd y beic i fynd ar ei ben ei hun ar hyd y palmant. Roedd Dwayne yn chwerthin yn wallgo pan ddaeth rhywun allan o un o'r tai, a'r beic yn mynd yn syth amdano.

Mr Leyshon oedd yno!

Gwelodd Mr Leyshon y beic mewn pryd a thaflu ei hun mewn i'r ardd agosaf. Gorweddai mewn llwyn rhosod a gweiddi 'HWLIGANS!' nerth ei ben. Rhedodd Dwayne ar ôl y beic oedd yn gorwedd ar ei ochr erbyn hyn. Roedd ei wyneb yn goch gan chwerthin a'r dagrau'n llifo lawr ei fochau. Cododd Davidde a rhedodd ar ei ôl, gan obeithio na fyddai Mr Leyshon yn ei adnabod o dan yr helmed. Rhedodd ar ôl y beic a Dwayne gan deimlo'r fath wefr, rhywbeth na theimlodd erioed o'r blaen. Roedd Dwayne yn eistedd ar y beic eisoes a galwodd ar Davidde i eistedd y tu ôl iddo. Gyrrodd y ddau i ffwrdd tua'r Rec fel bod Dwayne yn gallu dechrau o ddifri ar addysg Davidde.

Treuliodd Davidde yr oriau nesa yng nghwmni Dwayne. Er syndod iddo, roedd Dwayne yn athro da. Erbyn diwedd y sesiwn gallai Davidde gadw'i falans ar y beic a gyrru'n gyflym heb syrthio oddi arno, ac roedd e'n gallu gwneud *wheelie* eitha da hyd yn oed. Aeth ar hyd y llwybr y tu ôl i'r tŷ a rhoddodd y beic yn y garej yno. Cerddodd mewn i'r gegin a dyna lle roedd ei dad yn smygu ac yn yfed seidr eto.

'Ble fuest ti?'

'Lawr ar y Rec. Ar 'y meic sgramblo i.'

Rhewodd Ralph hanner ffordd drwy lyncu llond ysgyfaint o fwg.

'Beth?'

'Wy newydd fod lawr ar y Rec ar 'y meic sgramblo.'

'Ca' dy ben!'

'Ydw – mae e mas yn y garej – dere i weld.'

Dilynodd ei dad e; cafodd ei lorio'n llwyr pan welodd y beic. Doedd Davidde ddim yn hollol siŵr, ond credai iddo weld llygaid ei dad yn mynd yn llaith.

'Dai, Dai, do'n i ddim yn gwbod. Fydden i ... fydden i ... wedi prynu beic i ti flynyddoedd yn ôl. Ond o't ti wastad yn neud pethe twp fel – wel – ti'n gwbod, darllen llyfrau a neud gwaith cartre. Pa fath o dad ydw i?'

'Mae'n iawn, Dad.'

Edrychodd Ralph ar y beic sgramblo, a meddwl yn ôl i'r adeg pan oedd yntau'r un oed â Davidde, yn rasio a chael anturiaethau mawr ar ei feic. Roedd hwn yn beth gwych. Efallai fod Davidde yn debyg iddo wedi'r cyfan.

'Dere 'nôl i'r tŷ. Alli di gael gwydraid o seidr gyda dy hen ddyn.'

Rhoddodd Ralph ei fraich o amgylch ysgwyddau ei fab yn falch a'i arwain e 'nôl i gyfeiriad y tŷ.

Adroddodd Ralph straeon yr oedd Davidde wedi'u clywed ganwaith o'r blaen, ond doedd dim ots. Roedd hi'n wych i weld ei dad mor hapus, a'i fod e mor hapus gydag e'n benodol. Chymerodd hi ddim yn hir cyn i Ralph ddechrau sôn am y tristwch nad oedd ei fam yma i'w weld e. Ar y pwynt yma poenai Davidde fod pethau'n troi at y felan – allai e ddim â delio gyda'i dad pan fyddai'n yfed gormod a dechrau crio, felly gwnaeth ryw esgus, gadael y gegin a dianc i'w wely.

'Y peth yw, byt, wy'n ei charu hi.'

Cawsai Davidde hyn yn anodd i'w ddeall. Roedd Dwayne yn eistedd ar yr un bwrdd â Davidde unwaith yn rhagor yn y wers Gelf. Fe driodd eistedd yn ymyl Ceri Ffys ond symudwyd e'n reit fuan achos rhoddodd ei fys yn ei llygad hi.

'Wy isie dweud rhywbeth neis, neu neud rhywbeth caredig, ac wy yn bwriadu neud e ond wedyn, y peth nesa, wy'n tynnu ei gwallt hi neu wy'n ei chnoi hi. Alla i ddim esbonio ... Ti ddim am weud wrth y bois, wyt ti?'

'Pam nad wyt ti eisiau iddyn nhw wybod?'

'Achos fydden nhw'n neud sbort ar 'y mhen i.

Ma'n nhw'n gallu bod yn uffernol o gas.'

Roedd Davidde yn gwybod pa mor uffernol o gas allen nhw fod. Ond roedd e'n synnu clywed y gallen nhw fod yn gas i'w gilydd. Ro'n nhw'n edrych fel cymaint o ffrindiau o hyd.

''Na pam ddewisais i neud Celf. Wy'n casáu tynnu lluniau, ond doedd dim un o'r lleill wedi dewis y pwnc, felly nawr wy'n cael brêc oddi wrth y bois yn bod yn gas am deuluoedd ei gilydd. Wy'n cofio unwaith gofynnodd Muppet i Broga a fyddai ei fam-gu'n fodlon rhoi gwersi piano iddo fe ... roedd e'n gwybod nad oedd ganddi freichiau.'

'Paid â becso, wy ddim am weud gair, Dwayne.'

'Ta, byt.'

Fel arfer ar ôl cyrraedd adre o'r ysgol byddai Davidde yn gwneud ei waith cartre, ond y noson honno trefnodd gwrdd â Dwayne lawr ar y Rec er mwyn cael rhai gwersi eraill. Byddai'r bechgyn eraill o gang Lyndon yn rhywle arall yn chwarae pêl-droed, ond roedd yn well gan Dwayne chwarae o gwmpas ar feics. Roedd Davidde yn gwella'n gyflym, a Dwayne yn mwynhau helpu rhywun i ddatblygu diddordeb mewn rhywbeth yr oedd e'n ei garu hefyd.

Awr yn ddiweddarach, gwelodd Davidde

fod Lyndon a'i gang ar eu ffordd yno. Teimlai'n anghysurus, a sylwodd fod Dwayne yn teimlo'n anghysurus hefyd. Penderfynodd Davidde mai'r peth gorau fyddai mynd adre. Roedd ganddo waith cartre i'w wneud erbyn y diwrnod canlynol beth bynnag.

'Davidde Bripsyn oedd hwnna, yntife?' holodd Muppet.

'Nage.'

'Ti'n ffansïo fe.'

'Nagydw ddim!'

'Wyt ti yn, drychwch arno fe, mae'n cochi!'

'Weda i wrthot ti pwy sy'n hoyw, Muppet,' atebodd Dwayne.

'Pwy sy 'te? Dwed.'

'Ym … dy bants di! Na, pants dy fam – nicers dy fam. Na, nicers chwyslyd, tew dy fam!'

Ochneidiodd y bechgyn ar ymdrechion tila Dwayne. Doedd e ddim yn dda am wneud sylwadau anfoesgar, gwreiddiol.

Eisteddodd Davidde wrth ei ddesg i wneud ei waith cartref Add Gref. Roedd yn gwarafun cael gwaith cartref mewn pwnc nad oedd wedi'i ddewis, a hefyd rhoddodd y gorau i gredu mewn unrhyw dduw pan fu ei fam farw. Ond roedd e'n hoffi'r athro, Mr Myffin, a hefyd roedd gorffen ei waith cartre yn rhywbeth yr oedd Davidde yn ei wneud bob tro. Fyddai e ddim yn meiddio peidio â gwneud, byth.

Wrth iddo eistedd yno'n chwarae gyda'i gyllell fach, yn trio'i orau i ddilyn taflen waith ddiflas am Sant Denzil (nawdd sant tarpolin), dechreuodd bendwmpian, ac yn sydyn, roedd e 'nôl i lawr ar y Rec. Roedd Lyndon Lastig yno, yn tynnu ar Davidde, gan ddweud ei fod e'n reidio beic fel merch. Heriodd Davidde e i gael ras, a holodd Lyndon pa mor bell. Edrychodd Davidde i fyny ac yn y pellter gallai weld y Marchog Du yn hollol lonydd ar y graig.

'Mor bell â draw fanna,' meddai gan bwyntio at y graig.

Dechreuodd Broga'r ras, ond twyllodd Lyndon beth bynnag. Ar ôl sbel roedd Lyndon yn dangos ei hunan, a throdd e o gwmpas, a chodi dau fys ar Davidde. Trawodd dwll yn y trac a sgrialu ar draws llwybr Davidde. Llwyddodd Davidde i'w osgoi'n gelfydd a chymryd y fantais, gan gyrraedd y Marchog Du ddau hyd beic cyn Lyndon. Roedd Lyndon yn gandryll.

Galwodd y Marchog Du ar Davidde i ddod draw. Aeth Davidde draw ar ei feic, yna arhosodd.

Cododd y Marchog Du sgrin ei helmed yn araf bach.

Roedd popeth y tu fewn yn dywyll.

Wrth iddo ddod yn agosach, synodd Davidde fod ganddo, yn lle llygaid, ddau ...

'*Scotch eggs*! Dai, ges i *scotch eggs* i ni am damed bach o newid!'

Roedd ei dad yn ôl adre gyda rhywbeth i de.

4

Roedd hi'n amser am wasanaeth ysgol eto. Roedd y prifathro ar y llwyfan cyn i unrhyw un gyrraedd. Safodd y tu ôl i'r ddarllenfa wrth i'r neuadd lenwi ac wrth i bawb ganu'r emyn.

'Diolch, Mr Mantofani, am y fersiwn hyfryd yna o "Air disglair Duw" a diolch hefyd i Flwyddyn 10 am y sesiwn *dubstep breakdown* hynod gofiadwy yna'r hanner ffordd drwyddo. Wnawn ni ddim anghofio hwnna ar frys.'

Pwysodd drosodd ar y ddarllenfa ar ei benelinau, gyda'i law dde dan ei ên tra bod Blwyddyn 10 yn diffodd eu peiriant drymiau a rhoi'r gorau i chwythu ar eu recorders.

'Fe drion nhw eu gorau glas. Ac mae hynny fy atgoffa i o Gwilym Sprocet. Yffach o foi oedd Gwilym, ei fys mewn sawl brywes. Ac roedd ganddo ddawn. Yn union fel Blwyddyn 10 fan hyn. Heblaw doedd e ddim yn gerddorol, dawnsiwr oedd e. Dawnsiwr tap i fod yn hollol benodol. Nawr, wy'n gwybod beth sy'n mynd drwy'ch meddyliau chi – sut yn y byd all unrhyw un ddawnsio ar dap?!'

Doedd neb wedi meddwl hynny, yn enwedig y staff a roliodd eu llygaid yr un pryd.

'Wel, mi ddweda i wrthoch chi. Math arbennig o ddawnsio yw dawnsio tap lle mae gennych chi ddarnau o fetel ar waelod eich esgidiau, ac mae'n gwneud sŵn fel hyn.'

Camodd i ffwrdd o'r ddarllenfa a symud ei droed dde yn un fflach gyflym. Gwnaeth sŵn clop ar y llwyfan. Yna symudodd ei droed chwith yn gyflym, a gwnaeth honno sŵn clop hefyd.

'Gwyliwch hwn nawr,' meddai.

Dechreuodd symud o gwmpas y llwyfan, yn clip-clopian yn araf, yn clicio a fflicio ei draed a chwifio'i ddwylo'n egnïol. Yna symudodd yn gyflymach fyth, ac roedd Miss Jones a Mr Graves, yr athro chwaraeon, yn cyfnewid llygaid slei ar ei gilydd ac yn ysgwyd eu pennau'n araf, yn hollol gegrwth. Agorodd eu cegau hyd yn oed yn fwy wrth i'r prifathro symud tua'r ddarllenfa a thynnu ffon allan o'r tu ôl iddi a'i dal hi dros ei ben, ac yna tapiodd hi ar y llwyfan fel rhan o'i berfformiad. Ar ôl dwy funud o dap egnïol, curodd y prifathro'i ddwylo a dod i stop gyda'i freichiau wedi'u hymestyn led y pen. Anadlodd yn ddwfn wrth i'r chwys grynhoi ar ei dalcen, llygadodd ei gynulleidfa, ac aros am y gymeradwyaeth.

Ddaeth yna ddim. Dim smic. Rhoddodd y ffon i lawr, sychu ei wyneb gyda'i hances a chamu yn ôl y tu ôl i'r ddarllenfa.

'Gig anodd,' mwmialodd, ac aeth yn ôl at ei nodiadau.

'Nawr, er bod gan Gwil ddawn, doedd pethau ddim yn hawdd iddo yn yr ysgol. Roedd y bechgyn oedd yn hoffi rygbi a phêl-droed yn arfer gwneud hwyl am ben Gwil, yn enwedig gan iddo werthu ei sgidiau pêl-droed er mwyn gallu prynu sgidiau tap, ac roedd yn rhaid iddo'u gwisgo nhw yn y gwersi chwaraeon. Wel, fe allwch chi ddychmygu, yn gallwch chi ...'

Dynwaredodd y prifathro Gwil yn llithro dwmbwr-dambar yn y mwd.

'Roedd e fel ebol ar iâ. A phe na bai hynny'n ddigon gwael, byddai'r athrawon yn pigo arno fe hefyd. Doedd athrawon ddim mor garedig ag y maen nhw heddiw. Doedden nhw ddim yn gwybod beth i'w wneud â chrwt oedd yn mynnu dawnsio tap dros bob man.

'Beth bynnag, yn y diwedd gadawodd Gwil yr ysgol ac ymuno â grŵp dawns lleol, yna tynnodd sylw rhywun yn y fusnes ac aeth i fyw i Gaerdydd. Fe ddawnsiodd ar lwyfannau dros Gymru gyfan, yna aeth i ddawnsio yn Llundain. Roedd pawb yn siarad amdano – doedd neb yn dawnsio fel ein Gwil ni!

'Nawr, wy'n gwbod beth ry'ch chi'n meddwl – ble allai e fynd o fanna?

'Wel, cafodd wahoddiad i ddawnsio yn Efrog Newydd – yn Harlem, prifddinas dawnsio tap. Roedd am gael hwylio drosodd ar long fawr a byddai'n diddanu pawb ar y llong gyda thalentau ei draed. Beth allai fynd o'i le? Beth yn wir?

'Wel, mi ddweda i wrthoch chi. Y llong fawr roedd e'n teithio arni oedd y Titanic ac fe foddodd. Llwyddodd i gyrraedd un o'r badau achub, ond aeth ei nerfau'n drech nag ef a dechreuodd ddawnsio tap mewn ofn ac aeth yn syth trwy'r llawr – dim ond pren balsa oedd e. Welodd neb mohono eto, ond mae'r cof amdano'n dal yn fyw, ac wy'n credu y gall fod yn esiampl i bob yr un ohonon ni – ddim yn y ffordd y lladdodd e ei hun i bob pwrpas a phawb arall ar y bad achub – ond yn y modd y gallwn ninnau ddefnyddio'n doniau i gyrraedd at ein potensial. Sy'n dod â fi at y dyn ifanc fan yma ...'

Pwyntiodd y prifathro at rywun dieithr nad oedd neb wedi sylwi arno cyn hynny. Roedd yn sefyll ar ymyl y neuadd yn y fan lle safai'r staff i wylio'r disgyblion.

'Hoffwn ofyn iddo ddod i'r llwyfan achos mae ganddo gyhoeddiad i'w wneud a allai fod o help i chi gyrraedd at eich potensial, fel Gwil. Heb foddi, gobeithio ...'

Cerddodd y dyn tua'r blaen.

Ond doedd e ddim yn cerdded fel rhywun normal, roedd e'n swagro, yn rholio ei ysgwyddau a gwneud ystumiau cusanu rhyfedd gyda'i wefusau. Roedd e'n gwisgo het borc-pei a sbectol haul, er ei bod hi'n pistyllu bwrw tu fas. Roedd e'n gwisgo'r trowsus denim tynnaf erioed, mor dynn nes ei fod e'n amlwg yn methu plygu ei goesau'n iawn. Gyda threinyrs enfawr, edrychai fel pe bai'n cerdded ar ddwy ffon golff. Roedd e'n cario ffôn drud yr oedd yn tapio rhywbeth arno wrth gerdded. Cariodd ymlaen i dapio ar y llwyfan wrth i bawb aros iddo ddod i ben. Gorffennodd, edrych ar y ffôn a chwerthin ar yr hyn roedd wedi'i ysgrifennu yna rhoddodd y ffôn yn ei boced. Gwisgai siaced swêd hen yr olwg a chrys oedd yn agored hyd at ei fogel. Doedd e ddim yn edrych fel rhywun o'r ardal.

'Hai. Dominic Baw ydw i, ie? Dom Baw.'

Doedd e ddim yn swnio fel rhywun o'r ardal chwaith. Ac roedd bron popeth a ddywedodd e'n swnio fel cwestiwn.

'Chi gyd yn lico'r teledu, ie? Y teli, y TV, bocs yn y gornel, beth bynnag y'ch chi'n ei alw e yn y twll lle 'ma, ie?'

Nodiodd rhai.

'Wel wy wedi dod o fyd y teledu ac wy'n mynd i roi un ohonoch chi arno fe, ie?'

Tynnodd ei sbectol haul, a dechrau cnoi ar un o'r breichiau.

'So, pwy sy eisiau bod ar y teledu, ie?'

Saethodd nifer o ddwylo i fyny.

'Ond ddim jyst unrhyw un. Pwy sy'n lico canu?'

Saethodd llwyth o ddwylo i fyny, gan gynnwys Eira Scogwm, ei llygaid ar agor led y pen mewn cynnwrf. Roedd hi wedi trio bod ar sioe dalent ar y teledu unwaith. Roedd hi'n argyhoeddedig mai'r unig reswm na chafodd hi ei dewis oedd am iddi gnoi un o'r cystadleuwyr eraill am edrych arni'n rhyfedd.

'Grêt. Ond wy ddim yn chwilio am gantorion.'

Tynnodd Eira Scogwm ei gwefusau'n ôl ac ysgyrnygu ei dannedd dychrynllyd ar Dom Baw. Rhoddodd e ei sbectol yn ôl ar ei drwyn.

'Pwy sy'n lico dawnsio, ie?'

Cododd rhai dwylo i'r awyr yn ansicr.

'Ie? Dawnsio? Mae e jyst mor hen ffasiwn, alla i ddim credu'ch bod chi'n cyfadde i lico dawnsio. Trist.'

Tynnodd ei sbectol unwaith yn rhagor, gan fod Eira wedi cau ei cheg.

'Nawr, wy'n gwybod bod yna rywbeth chi *guys* yn lico, rhywbeth go iawn, rhywbeth sy'n nawr. Pwy sy'n lico beics?'

Aeth dwylo i fyny unwaith eto.

'Wy ddim yn siarad am feics gyda phedalau pathetic, mae unrhyw un yn gallu'u reidio nhw. Wy'n sôn am feics sgramblo, sgrialu ar lwybrau gwyllt, wy'n sôn am Motocross!'

Edrychodd Lyndon a'r bechgyn ar ei gilydd. Yn araf bach, cododd Lyndon ei fraich, ac wrth iddo wneud, gwnaeth y bechgyn eraill yr un peth.

''Na fe, ie, y dynion go iawn!'

Doedd Davidde ddim yn teimlo y dylai e godi ei law. Wedi'r cyfan, dim ond ers ychydig bach roedd e wedi bod yn berchen ar feic, a doedd e ddim yn teimlo'n hollol hyderus eto. Poenai beth fyddai'n athrawon yn meddwl nawr bod ganddo feic, a phoenai hefyd y byddai'r gweddill yn meddwl ei fod yn ceisio bod yn un o'r gang.

Ond yna, meddyliodd eto. Roedd e wedi prynu'r beic, fe oedd yn berchen arno, felly roedd yn wir bod ganddo ddiddordeb mewn sgramblo. Roedd yn rhaid i bawb ddechrau'n rhywle. Yn sydyn, cafodd lond bola ar boeni beth roedd pawb arall yn ei feddwl. Roedd am godi ei law.

Felly, cododd ei law.

Yn syth ar ôl iddo wneud, roedd yn ymwybodol o lygaid Lyndon arno, ac yntau'n piffian chwerthin, 'Drychwch ar Dai.' Ond doedd dim ots gan Davidde. Roedd e wedi penderfynu codi ei law a nawr doedd dim troi 'nôl.

'Ma hynny'n wych, bois, ie? Nawr, alla i ddim dweud gormod ar hyn o bryd, ond wythnos nesa fe fyddwn ni'n cael ras, a bydd pwy bynnag fydd yn ennill yn cael cymryd rhan yn y sioe. Dewch i 'ngweld i ar ôl y gwasanaeth ac fe roia i'r manylion i chi, ie? Ie.'

Cerddodd y prifathro i ganol y llwyfan ac meddai, 'Diolch yn fawr Mr Baw, ie?'

Roedd e'n ddyn mor hawdd dylanwadu arno.

Ar ôl y gwasanaeth roedd Lyndon a'i gang yn heidio o gwmpas Dom Baw yn gofyn cwestiwn ar ôl cwestiwn. Fel arfer, mi fydden nhw'n rhy barod i wneud hwyl am ben pobl oedd yn cynnig gwirfoddoli i wneud unrhyw beth o gwbl. Meddyliodd Davidde am y ffordd y bydden nhw mor awyddus i ymddangos yn cŵl, ac eto dyma nhw'n ymddwyn fel plantos bach. Mi fyddai Davidde wedi mwynhau'r olygfa'n llwyr ond ei fod yn ofni eu bod nhw am droi arno a rhoi crasfa iddo.

'Bois, bois, fel ddwedes i, ie, wy ddim yn gallu dweud gormod amdano nawr. Darllenwch y daflen, ie, a wela i chi wythnos nesa, ie? Ie.'

Rhoddodd daflenni lliwgar sgleiniog i bob un o gang Lyndon, ac i rai eraill oedd yn sefyllian o gwmpas, ac wrth iddo anelu am iard yr ysgol, rhoddodd un yn llaw Davidde.

Darllenodd Davidde y daflen:

TI'N YSU AM ADAEL YSGOL?
TI AM FOD YN SEREN, IE?
MAE CANU A DAWNSIO I FERCHED, IE?
TI'N CARU BEICIAU, IE?
(RHAI SY'N SWNLLYD AC NID
RHAI BABIS GYDA PHEDALAU, IE?)
DERE Â DY FEIC I'R REC NOS
WENER NESA AM 7 O'R GLOCH

Rhwygodd rhywun y daflen allan o law Davidde. Lyndon oedd e.

'Ma beic 'da fe nawr, bois, a ma fe'n meddwl fod e'n galed, myn yffach i.'

Chwarddodd y bechgyn bob un. Ro'n nhw wedi rhoi'r gorau i ymddwyn fel plantos bach ac roedden nhw'n beryglus eto.

'Falle af i lawr nos Wener nesa, pam lai?'

'Falle af i lawr nos Wener nesa,' ailadrodd Lyndon, gan ddefnyddio llais uchel, merchetaidd. 'Weda i beth wrthat ti, Dai, gei di ras heno, boi, i ni gael gweld pa mor galed wyt ti. Ar ôl ysgol, lawr ar y Rec.'

Teimlodd Davidde ei hun yn cochi, ond roedd yn rhaid iddo dderbyn yr her.

'Iawn. Pam lai?'

Symudodd Lyndon yn agos ato, cododd ei law a tharo wyneb Davidde deirgwaith, yna cydio yn ei foch rhwng bys a bawd.

'Glywes i fod dy dad yn arfer bod yn dda, pan oedd e'n ifanc.'

Edrychodd Davidde at y llawr, nodio, a theimlo'i lygaid yn llosgi.

Symudodd Lyndon yn agosodd fyth, fel bod ond rhaid iddo sibrwd.

'Ond ti ddim yn reido fel fe. Ti'n gwbod fel pwy ti'n reido, byt?'

Ysgydwodd Davidde ei ben.

Daeth Lyndon mor agos nes bod Davidde yn gallu aroglu ei anadl sigaréts.

'Ti'n reido fel dy fam. Dy fam farw.'

Cyfarfu eu llygaid, yna gwthiodd Lyndon wyneb Davidde o'r neilltu a chwerthin pan fwrodd ei ben yn erbyn y ffenest. Edrychodd y bechgyn ar Davidde â dirmyg, yna gwasgaru a diflannu i'r wers gynta.

Aeth Davidde i'w wers Saesneg gyda Mr Rastud. Pan welodd Kaitlinn yn ffysian ei ffordd draw at Mr Rastud gyda phapur â dwy ochr llawn o'i llawysgrifen berffaith, sylweddolodd nad oedd wedi gwneud ei waith cartref. Roedd hwn yn deimlad newydd i Davidde ac ofnodd y gwaethaf. Roedd Mr Rastud wedi gosod y gwaith ar ddiwedd y wers ola. Roedd hi wedi bod yn wers amrywiol a ddechreuodd gyda barddoniaeth, ond a aeth mewn i bregeth bum munud ar hugain o hyd am y camddefnydd o'r gair *decimate*. Defnyddiodd luniau o ddynion bach ar y bwrdd gan boeri'n llawn angerdd dros y rhai oedd yn eistedd yn y rhes flaen wth iddo fwrw iddi, ei wyneb yn goch gan gynddaredd. Caeodd ei ddwrn ac ysgyrnygu wrth fwrw'r bwrdd. Byddai wedi cario ymlaen ond sylwodd ar yr amser. Syrthiodd yn ôl i'w gadair a rhoi ei ben yn ei ddwylo.

'Ysgrifennwch stori i fi. Wyth cant i fil o eiriau. Erbyn dydd Iau.'

'Am beth, Syr?' holodd rhywun.

Edrychodd Mr Rastud drwy'r ffenest am amser hir.

'Sut fedra i ddweud wrthoch chi beth fydd eich stori chi? Eich stori chi yw hi.'

'Sdim clem 'da fi shwd i sgrifennu stori, Syr.' Matthew Pei bach oedd yn siarad. 'Allwch chi roi pwnc i fi neu deitl neu rwbeth?'

'Hwyaid.'

'Hwyaid?'

Roedd wyneb Matthew yn bictiwr o ddryswch.

'Pa fath o hwyaid?'

'Hwyaid anobeithiol. Maen nhw wedi anghofio shwd i hedfan. A nofio. Maen nhw'n werth dim.'

'Pam bo nhw wedi anghofio?'

'Maen nhw'n meddwi rownd y ril.'

'Pam bo nhw wedi meddwi?'

'Drycha, allen i weud wrthot ti, ond dy stori di yw hi. Penderfyna di pam bo nhw wedi meddwi.'

Erbyn y wers nesa roedd Matthew fel pe bai wedi gweithio'r cyfan mas yn eitha da. Gofynnodd Mr Rastud iddo ddarllen ei stori allan yn uchel. Yn ei stori, roedd yr hwyaid yn byw yn agos i fragdy oedd yn gollwng cwrw i'r llyn. Oherwydd eu hymddygiad anwadal, daeth yr hwyaid yn enwog yn y dre, ac yna fe gafon nhw eu cymryd ar daith. Ond wrth gwrs wedyn, gan nad oedden nhw'n agos i'r ffatri bellach, doedden nhw ddim yn feddw mwyach chwaith. Penderfynodd y dyn dieflig aeth â nhw ar daith eu gwerthu nhw i'w bwyta er mwyn iddo gael ei arian yn ôl, ond fe ddihangon nhw jyst mewn pryd a hedfan i glinig hwyiaid er mwyn sobri'n llwyr. Enw'r stori oedd 'Cold Turkey for the Ducks'.

Swynwyd Davidde a'r dosbarth gan y stori, a dechreuodd pawb gymeradwyo ar y diwedd. Gofynnodd Mr Rastud i rai eraill ddarllen paragraff cyntaf eu straeon, neu'r stori gyfan mewn rhai achosion. Ceisiodd Davidde wneud ei hun mor ddi-nod â phosib. Meddyliodd os na fyddai Mr Rastud yn galw ei enw y gallai lithro allan ar ddiwedd y wers a dweud iddo anghofio roi'r gwaith mewn. Roedd e'n ofni y byddai Mr Rastud yn dod i wybod nad oedd wedi ysgrifennu ei stori ac y byddai'n cael pryd o dafod, a gorfod aros mewn, a chael llythyr gartre (er, fyddai ei dad ddim yn poeni, ond byddai Davidde yn teimlo cywilydd). Byddai sawl peth ofnadwy'n digwydd petai Mr Rastud yn darganfod nad oedd wedi gwneud ei waith cartref.

Yna, digwyddodd rhywbeth ofnadwy.

'Iawn 'te, Davidde, gad i ni glywed dy stori di.'

Doedd Davidde ddim yn gwybod beth i'w ddweud. A ddylai ddechrau gydag esgus, neu efallai y dylai esgus bod e'n cael pwl er mwyn tynnu sylw oddi ar y pwnc? Teimlodd ei fochau'n poethi ac edrychodd lawr ar y llawr. Penderfynodd mai gonestrwydd fyddai orau.

'Anghofies i,' mwmialodd, a disgwyl byddai Mr Rastud yn gwylltio. Roedd e'n disgwyl cael ei godi a'i daflu ar draws yr ystafell, roedd e'n disgwyl byddai Mr Rastud yn codi cywilydd arno ac roedd e'n disgwyl y byddai'n cael ei wneud yn esiampl i weddill y dosbarth. Roedd e hefyd yn disgwyl cael ei symud lawr i un o'r setiau llai galluog ar ei ben.

'Dim problem Dai, dere mewn ag e pan fyddi di wedi gorffen. Iawn, pwy sy nesa? Reit – Sioned Rhechreg – bant â ni!'

'Mae fy stori i'n stori wir. Y teitl yw 'The Most Scared I Ever Been.''

'Diolch Sioned, 'mlaen â thi.'

'The Most Scared I Ever Been. The most scared I ever been was when me and my family were on a nudist beach and a wasp flew straight up my ...'

'Paid!' gwaeddodd My Rastud.

'... nose.'

'Ma hwnna'n olréit, caria mlân.'

Allai Davidde ddim credu'r peth. Roedd e wedi gweithio'i hun mewn i'r fath glymau ond doedd dim i boeni yn ei gylch. Dechreuodd ddeall sut roedd pobl yn cael reidio beiciau a gwneud pethau y tu allan i'r ysgol oedd yn mynd o dan groen Mr Leyshon gymaint. Doedden nhw ddim yn gwneud eu gwaith cartre! Penderfynodd y gallai neilltuo mwy o'i amser i ddod yn dda ar reidio'i feic drwy dreulio llai o amser ar ei waith cartref. Doedd e ddim yn mynd i roi'r gorau i'w wneud yn gyfan gwbl; ond byddai'n dewis a dethol y gwaith i'w wneud. Daeth at ei goed a mwynahu gweddill y wers.

Celf oedd y wers ola. Synnodd Davidde a theimlo ychydig yn grac pan daeth Dwayne i sefyll yn ei ymyl wrth iddyn nhw aros y tu allan i'r drws. Allai Davidde ddim dweud i sicrwydd fod Dwayne wedi chwerthin am ei ben pan oedd Lyndon yn pigo arno fe, ond doedd e ddim fel petai e wedi ceisio achub ei gam chwaith.

'Ow, byt. Wyt ti wir am rasio yn erbyn Lyndon heno?' gofynnodd.

'Ydw. Pam?'

'Y peth yw, dyw Lyndon ddim yn dda o gwbl. Er, taset ti'n gwrando arno fe, fe yw'r gore yn y byd. Ond dyw e ddim yn lico pobl yn mynd heibio iddo fe ar y tu fewn. Mae'n panico ac yn dy adael di drwodd – smo fi wedi deall pam erio'd. A ti'n gallu neud e ar dy feic di hefyd – mae'n ddigon pwerus.'

Ymddangosodd Miss wrth y drws.

'Mae gynna i rwbath gwahanol i chi heddiw. Dwi wedi paratoi rhwbath, rhwbath i'ch helpu chi feddwl mewn ffordd newydd. Yn Susnag dan ni'n ei alw fo'n *installation* neu 'gosodiad' yn Gymraeg. Does dim angen i Gelf fod yn llunia'n unig, gall fod yn rhwbath y medrwch chi symud o'i gwmpas ac edrych arno fo o gyferiadau gwahanol. Dwi'n galw hwn yn "Ffrwydrad y Cwt Cwningen".'

A dyna'n union beth oedd e. Roedd Miss wedi chwythu cwt cwningen i fyny. Rhywsut, fe gasglodd y darnau bob un a'u rhoi nhw yn ôl at ei gilydd. Ond nid y cwt cyn y ffrwydrad oedd e ond y cwt union hanner eiliad ar ôl i'r ffrwydrad ddigwydd. Gosodwyd y darnau o bren, plastig a gwifren i hongian ar dannau o'r nenfwd ar tua uchder y llygad, roedden nhw'n symud ychydig a golau'n tywynnu rhwng y darnau. Er bod y cwt yn hongian yn dawel, roedd teimlad o drais yn perthyn i'r darn hefyd.

Roedd Ceri Ffys yn edrych yn bryderus.

'Paid â phoeni, Ceri fach,' meddai Miss. 'Dwi'n gwybod be ti'n feddwl, a na, doedd 'na ddim cwningen y tu mewn pan chwythis i hwn i fyny.'

Doedd dim llawer o ddiddordeb gyda Davidde mewn celfyddyd dri-dimensiwn, ond roedd rhaid iddo gyfaddef fod hwn yn dipyn o waith, er fedrai e ddim gweld ei hun yn gwneud unrhyw beth tebyg.

'Pam na wnei di drio rhwbeth fel hyn, Davidde?' holodd Miss.

'Wy'n credu 'mod i'n teimlo'n saffach ar bapur, Miss.'

Roedd Kaitlinn wedi'i hoffi'n fawr a dychwelodd at ei gwaith yn llawn brwdfrydedd. Treuliodd Davidde weddill y wers yn cuddio oddi wrth Miss am nad oedd ganddo ddim byd newydd i'w ddangos iddi.

Teimlodd Davidde yn nerfus ar y ffordd gartre, ond nid mewn ffordd ofnadwy. Pwy oedd Lyndon yn meddwl oedd e'n siarad ag e fel y gwnaeth? Byddai Davidde yn ei roi yn ei le, o byddai.

Roedd ei dad yn dal i fod yn y gwaith felly aeth drws nesa i weld Mr Leyshon. Gadawodd Mrs Leyshon e i mewn a rhoi gwydraid o sudd iddo. Roedd Mr Leyshon wrth y ffenest gyda'i finociwlars, ei dalcen yn rhychau byw.

'Drycha! Maen nhw mas eto! Ar eu beiciau! Yn reido nhw!'

'Ga i bip, Mr Leyshon?' gofynnodd Davidde, a rhoddodd Mr Leyshon y binociwlars iddo fe.

Edrychodd Davidde ar y Rec. Gwelodd Lyndon a'r bois yn reidio, yn chwarae o gwmpas. Teimlodd gryndod drwyddo. Doedd e ddim ar yr un lefel â nhw o gwbl. Ond roedd yn rhaid iddo fwrw ymlaen â'r peth. A beth petai Mr Leyshon yn ei adnabod e? Roedd e'n ddigon anodd byw drws nesa iddo fe ar y gorau, ond petai'n gwybod bod Davidde draw fanna byddai'n siŵr o alw'r heddlu'n ddi-baid wedyn. Byddai'n rhaid i Davidde gadw ei helmed ar ei ben drwy'r holl amser.

Rhoddodd y binociwlars yn ôl i Mr Leyshon.

'Wy'n gorffod mynd. Fe alwa i mewn fory,' meddai, wrth baratoi am y frwydr.

Pan gyrraeddodd Davidde y Rec, roedd Lyndon yn eistedd ar ei feic, yn bwyta creision a bar o siocled, yn smygu'n drwm ac yfed allan o gan o bop ar yr un pryd.

'Drychwch pwy sy 'ma, bois.' Pwyntiodd Lyndon at helmed ddu sgleiniog Davidde oedd yn rhy fawr i'w ben. 'Darth Vader!'

Wrth iddo siarad tasgodd cymysgedd o greision, pop a siocled allan o'i geg. Chwarddodd y gweddill a phwyntio hefyd.

'Fi'n mynd i rwbo dy helmed di'n y mwd,' meddai, gwasgu ei gan pop a gollwng sbwriel ei siocled ar hyd y llawr. Daeth Davidde yn nes.

'Barod, byt?' gofynnodd Lyndon.

'Ydw,' atebodd Davidde. 'Beth yw'r cwrs?'

'Lawr at yr hen gar sy wedi llosgi – yr un oedd yn arfer bod yn goch. Yna rownd at yr hen gar sy wedi llosgi – yr un oedd yn arfer bod yn ddu.

Wedyn o amgylch yr hen gar wedi llosgi sy lawr fanna.'

'Pa liw oedd hwnna'n arfer bod?'

'Sneb yn gwbod. Mae e wedi bod 'na erioed.'

Roedd Davidde eisiau dweud wrth Lyndon pa mor dwp oedd hynny'n swnio, ond feiddiai e ddim.

'Ti'n mynd rownd y car 'na a dod 'nôl i man 'yn. Tair gwaith. Barod?'

'Odw.'

'Dechreua ni off 'te, Craig.'

Dechreuodd Craig ddweud, 'Ar eich marciau, barod, ewch!' ond roedd Lyndon wedi gadael cyn iddo fe agor ei geg. Rhoddodd Davidde ei feic mewn gêr ac aeth ar ei ôl.

Ar y tro cynta ceisiai ganolbwyntio ar ddal i fyny. Ar un adeg tra oedd yn reidio, roedd Lyndon yn sefyll ar sedd ei feic, yn dangos ei hun i'r bechgyn eraill. Llwyddodd Davidde i ennill ychydig o dir, felly eisteddodd Lyndon lawr a dechrau rasio'n iawn. Llwyddodd Davidde i osgoi twll dwfn yn y trac ar ddiwedd y tro cynta o drwch blewyn, a theimlai ei fod yn dal ei dir yn eitha da. Roedd Davidde yn ymwybodol bod llawer mwy o bŵer a chyflymder ganddo ar y darnau syth, felly penderfynodd aros hyd nes y tro ola i basio

Lyndon. Cadwodd Lyndon yn ei olwg a chau'r pellter rhyngddynt yn araf bach.

Dim ond ychydig bach ar ei hôl hi oedd e ar ddechrau'r tro ola. Cyrhaeddodd y car oedd yn arfer bod yn ddu a thynnu allan i roi cynnig ar oddiweddyd Lyndon ar y darn hir a syth draw at y car oedd yn arfer bod yn goch. Ond doedd dim yn tycio, yna cofiodd beth ddywedodd Dwayne – dyw Lyndon ddim yn hoffi unrhyw un yn ei basio ar y tu mewn; mae'n mynd i banig ac yn gadael iddyn nhw fynd heibio iddo. Wrth i'r gornel daranu tuag atyn nhw, gwasgodd Davidde y brêc a rhoi ei hun rhwng Lyndon a'r troad.

Ac fe weithiodd e! Fe aeth Lyndon i banig a llwyddodd Davidde i dasgu o'i flaen. Aeth yn gyflymach ar y darn syth ac wrth iddo hedfan i ffwrdd allai e ddim â helpu edrych tuag yn ôl i weld yr olwg ar wep Lyndon – edrychai mor anhapus!

Ond drwy edrych tuag yn ôl, methodd Davidde sylwi ar y twll dwfn y llwyddodd i'w osgoi yn gynharach. Aeth y teiar blaen yn syth mewn iddo a doedd dim y gallai Davidde ei wneud wrth iddo hedfan dros fariau'r beic, cael ei daflu i'r awyr a glanio ar ei gefn yn edrych i fyny ar y cymylau.

Rasiodd Lyndon heibio iddo yn chwerthin

yn uchel ac aeth ymlaen i ennill y ras yn sŵn bonllefau ei gang. Gyrrodd yn ôl at Davidde.

'Anlwcus, Darth, byt. Fel wedes i, ti'n reidio fel dy fam.' Reidiodd e'n ôl at ei gang, oedd am ddathlu drwy gynnau tân yn rhywle. Meddyliodd Davidde y byddai'n beth eitha da petai'n diflannu'n reit gyflym, cyn iddyn nhw benderfynu ei roi yntau ar dân.

Roedd Davidde yn gandryll â'i hun am edrych yn ôl ar Lyndon yn ystod y ras – tasai e heb wneud byddai wedi ennill! Ond roedd e hefyd yn hapus iddo gystadlu, ac roedd e'n hynod falch iddo godi ofn ar Lyndon. Efallai y byddai'n ei faeddu fe'r tro nesa gydag ychydig bach mwy o ymarfer ac addawodd y byddai'n neilltuo amser i wneud hyn. Byddai'n chwilio am lyfrau a chylchgronau allai fod o gymorth i wella'i sgiliau. Gallai siarad â'i dad hyd yn oed. Arferai fod yn reidiwr digon teidi yn ei ddydd, roedd Lyndon yn gwybod hynny hyd yn oed.

Aeth Davidde gartre a rhoi ei feic yn y garej tu ôl y tŷ'n llechwraidd, gan wneud yn siŵr nad oedd Mr Leyshon yn llercian y tu ôl i unrhyw gorneli. Aeth mewn i'r tŷ, ac roedd ei gefn yn brifo'n eitha gwael ar ôl iddo lanio arno, felly penderfynodd gael bath. Doedd dim goleuadau ynghyn ond roedd nodyn ar fwrdd y gegin.

'Davidde – nol hwir heno – pastis yn y frij – shwd nest ti? Dad'

Crychodd Davidde ei dalcen, ac nid oherwydd sillafu amheus ei dad – roedd wedi arfer â hynny. Fyddai ei dad ddim yn aros allan, yn enwedig ganol wythnos, neu os byddai, doedd e ddim yn rhywbeth fyddai wedi'i gynllunio. Byddai'n digwydd ar hap. A sut wyddai e am y ras? Doedd Davidde ddim wedi dweud dim wrtho. Roedd y cyfan yn dipyn o ddirgelwch.

Bwytodd Davidde ei bastis wrth iddo aros i'r bath lenwi. Roedd y dŵr poeth yn brifo'r anafiadau ar ei gefn, ac mewn ffordd ro'n nhw'n teimlo fel clwyfau rhyfel ac yn gwbl haeddiannol. Ar ôl sychu'i hun teimlai'n rhy flinedig i wneud ei waith cartre Ffrangeg – gallai hwnnw aros. Rhoddodd gynnig ar ddarllen llyfr ar seryddiaeth yn y gwely fel ymchwil ar gyfer syniadau i'w brosiect Celf, ond roedd e'n ddiflas a syrthiodd i gysgu. Roedd yn dechrau colli diddordeb yn y sêr a'r planedau.

Breuddwydodd am y Marchog Du unwaith eto.

5

Wnaeth y freuddwyd ddim digwydd yn syth achos fe gysgodd Davidde yn drwm ac yn hir iawn i ddechrau. Ond tuag at y bore breuddwydiodd am y ras yn erbyn Lyndon. Roedd y cyfan fel ffilm wedi ei harafu. Safai Lyndon ar sedd ei feic, ond er bod popeth yn digwydd yn rhy araf allai Davidde ddim â dal i fyny. Yna roedd Lyndon yn sefyll ar ei ben a doedd Davidde dal ddim yn gallu ei ddal e. Yna roedd Lyndon yn reidio gyda'i ben ar y sedd ac yn agor a chau ei goesau, yn dangos ei hun i'w ffrindiau ac yn corddi Davidde. Roedd yn bwyta bar o siocled, yfed can o bop a chynnau ac ysmygu dwy sigarét ar yr un pryd. Roedd hyd yn oed Davidde yn gorfod cyfaddef fod hynny'n dipyn o gamp.

Roedd y Marchog Du yno, breichiau wedi'u

plethu yn edrych ar y ras. Triodd Davidde cyn galeted ag y gallai a chael ei hun yn agos at Lyndon. Unwaith yn rhagor triodd e wthio heibio gan ddefnyddio pŵer y beic, ac unwaith yn rhagor fe fethodd. Yna cofiodd gyngor Dwayne ac aeth e ar yr ochr fewn i Lyndon (oedd wedi rhoi'r gorau i'w snacs bondigrybwyll ac wedi dechrau reidio'r beic mewn dull mwy normal). Edrychodd hwnnw arno mewn anghrediniaeth wrth i Davidde fynd heibio iddo eto.

Roedd Davidde yn ei seithfed nef, ac roedd ar fin gwneud yr un camgymeriad eto! Wrth yrru yn ei flaen allai e ddim peidio ag edrych y tu ôl iddo a gweld y dicter yn wyneb Lyndon. Doedd e erioed wedi teimlo fel hyn o'r blaen – y teimlad o fod ar y blaen, arogl y petrol, yr ymdeimlad o gyflymder, roedd e'n ffantastig! A theimlai hyd yn oed yn well y tro hwn!

Pan edrychodd e tua'r blaen unwaith eto, fe welodd ei fod yn mynd yn syth am y twll yn yr heol, ond tro hwn roedd y Marchog Du'n sefyll ynddo fe, yn siglo bys ar Davidde. Ceisiodd Davidde osgoi'r anochel, ond roedd hi'n amhosib. Aeth Davidde yn syth mewn i'r Marchog ac i'r twll ac unwaith yn rhagor fe hedfanodd drwy'r awyr.

Pan ddaeth ato'i hun roedd e'n syllu ar yr awyr. Arhosodd i Lyndon ddod draw ato i ddweud ei fod e'n reidio fel ei fam. Ond y Marchog oedd yno'n edrych lawr arno. Roedd Lyndon ar ei ffordd tua'r llinell derfyn, yn barod i glochdar. Safodd y Marchog Du a rhoi ei hun rhwng Lyndon a Davidde. Arhosodd Lyndon ac edrych ar y Marchog, yna ar Davidde, yna yn ôl ar y Marchog, a'r tro hwn, meddyliodd eilwaith am glochdar. Reidiodd i ffwrdd.

Daeth y Marchog a phenlinio yn ymyl Davidde. Agorodd y sgrin ar yr helmed.

Allai Davidde ddim gweld yr wyneb, ond yn y fan lle dylai dau lygad fod, gallai Davidde weld dau …

'Creme Egg! Cadbury's Creme Eggs! Ges i Creme Eggs i frecwast i ni – am newid bach. Alwes i'n y siop ar y ffordd gartre!'

Roedd ei dad yn eistedd ar erchwyn ei wely. Roedd ganddo ddau baned o de hefyd. Edrychai'n hapus.

'Ble ti wedi bod?' gofynnodd Davidde.

'Mas.'

Cliriodd ei Ralph ei lwnc a symudodd o gwmpas ar y gwely. Fel arfer fyddai Davidde ddim yn gofyn unrhyw gwestiynau lletchwith os byddai'n gweld ei dad yn edrych yn anghyfforddus, rhag ofn iddo golli'i dymer. Ond y bore hwn teimlai Davidde ei fod am wybod.

'Ond ble?'

Cliriodd Ralph ei lwnc eto, ac edrychodd e'n galed mewn i'w baned.

'Y bois. Cardiau.' Pesychodd. 'Yfed. Wedi blino. Cysgu.'

Cnodd ben yr wy siocled i ffwrdd a dechrau cnoi fel gwallgofddyn, gwenodd, yna cofiodd lle roedd e.

'Ta beth, byt, beth am y ras neithiwr?'

'Shwd oeddet ti'n gwbod amdano fe?'

'Weles i dad Lyndon yn y gwaith ddoe. Wedes i y byddet ti'n cico tin ei fab e. Shwd nest ti?'

'Golles i.'

''Na siom. Mae tad Lyndon yn mynd dan 'y nghroen i.'

'Mae Lyndon yn mynd dan 'y nghroen i hefyd.'

'Be digwyddodd?'

Disgrifiodd Davidde bob manylyn o'r hyn ddigwyddodd yn y ras. Rhoddodd ei dad y gorau i fwyta ac edrych i lawr, fel petai'n bell i ffwrdd. Yna dechreuodd siarad yn rhugl a deallus mewn ffordd a synnai ei fab. Newidiodd grwntach arferol Ralph i fod yn llais tawel, meddylgar yr oedd Davidde yn ei gael yn hypnotig. Holodd gwestiynau a wnaeth iddo ailfeddwl am yr hyn ddigwyddodd yn y ras, yn enwedig y pethau a ddigwyddodd ar amrantiad. Meddyliodd Ralph am atebion ei fab, a chynigiodd awgrymiadau am beth ddylai drio'r tro nesa.

Roedd y te'n oer pan orffennon nhw.

'Ddo i draw i dy weld di tro nesa, Dai. Ddylen i fod wedi bod yno neithiwr.'

'Mae'n iawn, Dad. Fi'n hapus wnest ti ddim 'y ngweld i'n cwmpo.'

'Mae pawb yn neud hynny, grwt – mae'n rhan o'r broses. Os nad wyt ti wedi cwmpo oddi ar feic yna ti ddim wedi bod ar feic yn iawn. Dyna beth o'dd dy fam-gu'n arfer dweud wrtha i pan fyddai'n rhaid iddi fynd â fi draw i casiwalti, ac ro'dd hi'n iawn.'

Paratodd y ddau am ddiwrnod yn y gwaith ac yn yr ysgol, gan deimlo'n agosach nag erioed o'r blaen.

Roedd Davidde yn lwcus i beidio â chael ei daro wrth glwydi'r ysgol. Roedd e'n meddwl am y ras a doedd e ddim wedi bod yn edrych ble roedd e'n mynd. Y peth nesa glywodd e oedd sŵn corn car. Neidiodd allan o'r ffordd, a fflachiodd Miss Puws-Pyrfis heibio iddo yn ei char mawr, du, sgleiniog. Yn y sedd blaen nesa ati roedd Mr Rastud, ei wyneb fel y galchen ac yn syllu'n syth o'i flaen â golwg o arswyd arno. Roedd e'n amlwg wedi gweld rhai pethau erchyll drwy rannu car gyda Miss, ond bore hwnnw edrychai'n fwy ofnus na'r arfer.

Celf oedd y wers gynta ac am wers fywiog. Roedd gan Dwayne newyddion annisgwyl i Davidde.

'Mae Lyndon eisiau raso eto, byt. Fory lawr ar y Rec. Beth weda i wrtho fe?'

'Dweda iawn wrtho fe.'

'Da. Fe weda i. Gobeithio byddi'n ei chwalu fe.'

'Pam?'

'Neithiwr dechreuodd e esgus bod yn gyw iâr, mae'n gwbod bo fi'n ofnus o adar.'

Wyddai Davidde ddim beth i'w ddweud ac aeth e'n ôl at ei lun.

Roedd Dwayne yn ei chael hi'n anodd canolbwyntio. Roedd e'n rhy brysur yn edrych ar Ceri Ffys. Eisteddai hi yn ymyl Kaitlinn yn naddu'i phensiliau, yn eu gosod nhw mewn llinell berffaith yn hollol gyfochrog ag ymyl y ddesg.

Gallai Davidde glywed Kaitlinn yn dweud wrth Ceri am y Swffragéts. Doedd e ddim yn gwybod llawer amdanyn nhw, ond doedd ganddo ddim cymaint â hynny o ddiddordeb mewn bandiau o'r chwedegau.

'Wy'n caru hi,' anadlodd Dwayne.

'Pam na wnei di roi rhwbeth iddi?'

'Fel beth?'

'Wy ddim yn gwbod. Rhwbeth mewn bocs. Mae merched yn hoffi pethau fel 'na, wy'n meddwl.'

Edrychodd Davidde draw at Ceri i geisio gweld pa fath o beth y byddai hi'n hoffi'i dderbyn mewn bocs. Allai e ddim dweud, ond fe allai ddweud bod Kaitlinn yn rhythu arno fe. A doedd hi ddim yn hoffi beth roedd hi'n weld. Torri papur coch llachar yn ddarnau gyda siswrn sgleiniog oedd hi, ei hwyneb yn cuchio'n dywyll. Ceisiodd Davidde symud fel bod Dwayne yn eistedd rhyngddo fe a hi. Rhoddodd gynnig ar ychwanegu at ei brosiect sêr a phlanedau, ond doedd dim byd yn gweithio. Roedd wedi dechrau osgoi Miss fel na allai hi weld pa mor wael roedd pob dim yn mynd. Doedd hi ddim wedi gorfod siarad ag e am beidio â gwneud ei waith erioed o'r blaen, felly roedd hi'n hawdd i Davidde guddio. Pan fyddai hi'n symud ar draws yr ystafell tuag ato, byddai'n esgus bod ganddo ddiddordeb mawr mewn rhywbeth ar y wal, neu yn un o'r llyfrau Celf ar y silffoedd, a byddai'n dweud ei fod yn 'ymchwilio'.

Roedd hi'n dod draw nawr. Llithrodd Davidde draw at y wal i edrych ar ddarn o waith. Roedd rhywbeth newydd yno. Enw'r darn oedd 'Teyrnged i Salvador Dalí'. Roedd yn cynnwys pâr o sisyrnau wedi'u plannu i ganol llygad ceffyl.

Kaitlinn wnaeth e.

Cyrhaeddodd Miss at Dwayne a gofyn iddo sut oedd pethau'n mynd.

'Drycha Miss, mae hwn yn sbwriel, yndife.'

Dangosodd Dwayne y gwaith iddi, ac roedd e'n gwybod ei bod hi am gytuno ag e hyd yn oed. Fwy na thebyg mai Dwayne oedd yn un o'r tynwyr lluniau gwaetha i roi pensil ar bapur erioed. Pan fyddai'n ceisio tynnu llun llygad, fe allech chi ddweud iddo geisio tynnu llun rhywbeth crwn, ond dyna i gyd. Gallai fod yn olwyn neu gallai fod yn sombrero. Pan fyddai'n ceisio tynnu llun trwyn, gallai fod yn fwmerang neu'n hangyr dillad. Roedd pob dim yn anghywir, ac yna pan fyddai pob dim yn cael ei roi ar y dudalen, fyddai dim byd yn cyd-fynd â'i gilydd. Byddai'r berthynas rhwng pethau'n hynod ddoniol, nes gwneud i bobl chwerthin yn uchel ar ei waith, gan feddwl mai jôc ysblennydd oedd y cwbl. Ond doedd e ddim. Dim ond gallu artistig Dwayne oedd e.

'Mae'n ddechra cadarnhaol, Dwayne.'

'Bydd yn onest, Miss, mae'n sbwriel, yndyw e?'

'Na, Dwayne, dydi o ddim, ti'n trio'n galad.'

'Sdim rhaid gweud celwydd, mae'n rybish, yndyw e?'

Edrychodd Miss Puws-Pyrfis ar lun Dwayne. Ochneidiodd. 'Ydy. Mae yn hollol pathetig. Dw i ddim am ddeud rhagor o g'lwydda; ti'n uffernol. Dw i 'di gweld slygs efo mwy o allu celfyddydol na chdi.'

'Diolch Miss.'

Eisteddodd Miss lle bu Davidde yn eistedd. Er mwyn gwneud iddi deimlo'n well am bethau dechreuodd edrych drwy waith Davidde. Ond ar wahân i rai sgetsys cynnar, doedd hi ddim yn ymddangos bod unrhyw beth arall yno. Galwodd hi Davidde draw a gofyn ble oedd gweddill ei waith.

'Yn y tŷ. Ddof i ag e erbyn y wers nesa.'

'Y peth ydy, dwi'n dibynnu arnat ti a Kaitlinn i beidio â 'ngadal i lawr. Mae Kaitlinn eisoes 'di gneud rhai petha go arbennig, ond dwi ddim 'di gweld unrhyw beth gen ti. Chi 'di'r unig rai dwi 'di dysgu unrhyw beth o gwbl iddyn nhw drwy'r flwyddyn gyfan.'

Teimlodd Davidde yn wael am ddweud celwydd.

'Y wers nesa, Miss.'

Daeth yn ddiwrnod y ras nesa'n gyflym. Er mawr syndod i Davidde roedd e'n edrych ymlaen at rasio yn erbyn Lyndon eto, er ei fod yn teimlo'n nerfus. Teimlodd fod dyletswydd arno, nid yn unig iddo fe'i hunan, ond i'w dad, Ralph. Pan oedd o gwmpas, byddai Ralph yn holi Davidde am sut fyddai'n ymateb mewn sefyllfaoedd gwahanol, a gwelai Davidde fod hyn yn ei helpu i weld y ras yn ei ben. Aeth o gwmpas y cwrs gymaint o weithiau yn ei ben nes iddo deimlo y gallai ei gwneud hi â'i lygaid ynghau.

Treuliodd lai o amser yn y llyfrgell hefyd, llai o amser yn aros i'r nos gyrraedd. Yn y nos y teimlai'n fwy diogel, yn ddiddos yn ei dŷ yn edrych ar y sêr, neu drws nesa gyda Mr a Mrs Leyshon. Ond nawr, fe grwydrai fwy o amgylch yr ysgol yn ystod y dydd, a gwelodd fod ganddo fwy o bobl i ddweud helô wrthyn nhw. Cymerai fwy o sylw o wynebau ac edrych llai ar y llawr. Cerddodd i fyny'r grisiau culion wth y ffreutur yn dal dau o rôls caled fel y graig epig Beti yn ei ddwy law a theimlai'n eitha balch o'i hunan. Dyna pryd y teimlodd wlybaniaeth ar ei gorun, a dyna pryd y clywodd e'r chwerthin a'r gwawdio.

Gwelodd chwech neu saith o wynebau'n syllu arno o uchder, yn y man lle roedd Lyndon a'r bois yn arfer loetran. Roedd Davidde wedi llwyr anghofio am y risg ddeuai o ddringo'r grisiau hyn ar yr adeg anghywir. Yr oedd hi'n adeg anghywir nawr, roedd hi'n amser am ornest boeri. Y si oedd bod Picl yn gallu codi darn deg ceiniog drwy ollwng wyth modfedd o fflem o'i geg yn unig ac yna'i sugno 'nôl mewn i'w geg heb ddefnyddio'i ddwylo. Roedd un o'r wynebau oddi fry yn perthyn i Picl. Teimlodd Davidde ei ben – roedd yn reit llysnafeddog.

''Na law ofnadw ni 'di bod yn cael yn ddiweddar, bois,' meddai Lyndon a chwarddodd pawb eto. Gwelodd Davidde bod Dwayne yn chwerthin gyda nhw.

'Ti'n dod lawr y Rec heno 'te?' holodd Lyndon.

'Ydw. Ti'n ofni bo fi'n mynd i dy faeddu di?'

'Jest meddwl falle byddet ti isie aros gartre i olchi dy wallt, 'na'i gyd. Edrych mlaen i weld ti'n colli nes 'mlaen.'

Cerddodd Lyndon a'r bois i ffwrdd. Roedd Dwayne wrth eu cynffon nhw, er feiddiai e ddim troi i edrych ar Davidde. Arhosodd Davidde iddyn nhw fynd, yna aeth i'r tai bach er mwyn sychu beth pa bynnag ffiedd-dra oedd oddi ar ei ben.

Roedd e eisiau gyrru ei feic dros wyneb Lyndon a gadael olion teiars drosto fe, yn union fel y gwelsai'n digwydd mewn cartŵns, ond go iawn y tro yma.

Byddai'n cael talu'r pwyth, meddyliodd, wedi plygu'n blet a'i ben dan y sychwr dwylo. O byddai, mi fyddai'n cael talu'r pwyth.

Roedd Davidde yn hwyr yn cyrraedd ei ddosbarth cofrestru ac erbyn hynny roedd pawb arall wedi gadael. Ymddiheurodd i Mr Lynt. Edrychodd Mr Lynt arno ddwywaith a phwyntio at ben Davidde.

'Gwallt da, byt. Ma hwnna'n hollol trendi, yndife!'

Gadawodd Davidde heb dorri gair. Doedd dim byd yn waeth nag athrawon sarcastig.

''Na neis mae dy wallt di'n edrych, bach!'

Roedd Mrs Leyshon yn bod yn sarcastig nawr hyd yn oed!

'Mae'n trendi. Do'n i ddim yn meddwl dy fod di'n grwt trendi, ro'n i'n meddwl mai *geek* oeddet ti. Dwed wrth Davidde bod ei wallt e'n edrych yn neis, Charles.'

Roedd Mr Leyshon yn edrych ar y Rec drwy ei finociwlars. Wnaeth e ddim edrych i fyny.

'Ody, mae e'n edrych fel *antique*.'

'Ddwedes i fod e'n *geek*, ddim *antique*. Mae'n neis iawn, Davidde.'

Roedd Davidde yn ymwybodol fod pobl wedi bod yn syllu ar ei ben drwy'r prynhawn. Roedd hyn yn ei anesmwytho, ond ddim digon i dynnu ei feddwl oddi ar y ras. Dechreuodd ddeall beth roedd pobl yn ei feddwl pan oedden nhw'n sôn am ganolbwyntio'n llwyr. Byddai'n meddwl am sefyllfaoedd gwahanol, ac yn ceisio datrys problemau allai godi'n nes ymlaen. Meddyliodd hefyd am y ffordd y gwnaeth Dwayne gerdded i ffwrdd gyda gweddill gang Lyndon. Pam na ddywedodd e unrhyw beth? Pam na wnaeth e ymddwyn fel ffrind? Roedd wedi helpu Davidde gymaint yn ddiweddar, a theimlai Davidde ei fod yntau wedi rhoi cyfeillgarwch yn ôl iddo yn ei dro.

'Wy wedi galw'r heddlu. Fydd dim o'r hen

feiciau sgramblo 'na ar y Rec heno wy'n siŵr,' meddai Mr Leyshon yn fuddugoliaethus.

Gawn ni weld am hynny, meddyliodd Davidde, wrth iddo esgusodi ei hun a mynd drws nesa er mwyn paratoi am y ras fawr.

Gwnaeth Davidde yn siŵr nad oedd ar y Rec yn rhy gynnar. Pan gyrhaeddodd e roedd criw Lyndon wedi ymgasglu o'i gwmpas. Ceisiai Craig ei ymlacio drwy rwbio ysgwyddau Lyndon, ac roedd Picl wrthi'n creu adloniant drwy wneud triciau gyda fflem. Roedden nhw'n griw hyderus, heblaw am Dwayne, oedd ar ei bengliniau ar y llawr yn gwneud gwaith munud olaf ar feic Lyndon.

''Co fe, bois, Darth Vader.' Chwarddodd pawb.

'Iawn, byt,' meddai Davidde, 'falle bod 'da fi helmed ddu sy'n rhy fawr i fi. Ond doedd hwnna ddim yn ddoniol y tro cynta i fi ei glywed e.'

'Www, gwrandwch arni hi, bois.'

Erbyn hyn, doedd Davidde ddim yn ofni Lyndon, yn hytrach, cawsai lond bol arno fe. Meddyliodd am y ffordd y dywedodd Dwayne ei fod wedi cael llond bol ar Lyndon hefyd.

'Ydyn ni am wneud hwn 'te?'

'Ar dy ôl di. Menywod yn gynta.'

Arweiniodd Davidde y ffordd at y llinell gychwyn. Edrychodd ar Lyndon. Safodd Lyndon ysgwydd yn ysgwydd ag e, a sgrin ei helmed wedi'i chodi.

'Ti am reido fel dy fam eto?'

Meddyliodd Davidde y dylai ddweud rhywbeth cŵl. Roedd pawb yn gwybod nad oedd mam Lyndon yn un o'r rhai mwyaf deallus. Meddyliodd am gymryd mantais o hyn drwy ddweud rhywbeth fel, 'O leia wnaeth 'yn fam i ddim rhoi brechdanau Ralgex i fi fynd ar drip ysgol.' (Fe wnaeth mam Lyndon wneud hyn go iawn unwaith, achos fe gamgymerodd bot o eli cyhyrau am jam lemwn cyn trip i Lundain, ac fe dreuliodd Lyndon y rhan fwyaf o'r diwrnod yn yr ysbyty yn Hammersmith yn cael triniaeth ar ei dafod.) Cododd Davidde ei law at ei ên er mwyn ei helpu i feddwl, ond wrth iddo wneud, dechreuodd y ras, a hedfanodd Lyndon o'i unfan ar wib. Rhoddodd Davidde ysgydwad i'r clytsh ond roedd Lyndon yn bell ar y blaen iddo. Rhegodd ei dwpdra.

Roedd Lyndon yn ennill o dipyn. Llwyddodd Davidde i symud yn agosach ato'n raddol, ond ar ddiwedd y tro cynta, roedd Lyndon yn dal ar y blaen. Ond doedd e ddim yn gwneud unrhyw driciau'r tro yma, felly roedd yn anoddach iddo ddal i fyny, ond o leia teimlodd ei fod wedi ennill ychydig bach o barch. Ar yr ail dro, dechreuodd pŵer beic Davidde gryfhau ac yn sydyn roedd e'n dynn ar gynffon Lyndon. Dilynodd ef yn agos, agos ac aros am y trydydd tro o gwmpas cyn gwneud ei symudiad. Synhwyrai nad oedd Lyndon yn hoffi ei gael mor agos i'w olwyn gefn. Roedd symudiadau'r arweinydd yn herciog ac yn dangos ôl panig. Dim ond mater o amser oedd hi – ei gymryd ar yr ochr fewnol, fel y dywedodd Dwayne.

Ond ar ddechrau'r trydydd tro, methodd Davidde ganolbwyntio. Daeth yn ymwybodol fod ei dad yn sefyll ar ben tomen, yn edrych lawr arno fe, yn clapio ac yn gweiddi anogaeth. Ar ben tomen arall, meddyliodd Davidde iddo weld y Marchog Du, yn llonydd ar gefn beic mawr du. Teimlai o dan bwysau i berfformio. Caeodd ei lygaid am eiliad, ysgwyd ei ben a phenderfynu mynd amdani. Caeodd y bwlch rhwng y ddau a daeth Davidde o fewn cyrraedd i fedru goddiweddyd ac aeth am yr ochr fewnol, ond rhwystrodd Lyndon e!

Collodd Davidde gryn dipyn o gyflymdra, doedd e ddim yn disgwyl i Lyndon wneud hynny. Arhosodd hyd nes y gornel nesa, ond rhwystrodd Lyndon e unwaith yn rhagor. Roedden nhw bron â chyrraedd diwedd y ras – roedd yn rhaid i Davidde ddefnyddio'i holl bŵer nawr, y cyfan oedd ganddo'n weddill.

Dywedodd wrtho'i hun i beidio ag edrych petai'n cymryd y blaen – achos dyna sut y collodd e'r tro diwetha!

Agorodd e'r throtl a hedfanodd y beic. Roedd e'n gyfochrog â Lyndon. Cafodd ei demtio i edrych ar wyneb Lyndon wrth fynd heibio iddo, ond brwydrodd yn erbyn y teimlad a chanolbwyntio ar yr hyn oedd o'i flaen. Dim tyllau, dim perygl. Sylwodd ar feic Lyndon drwy gornel ei lygad wrth iddo dorri'n rhydd, hyd nes iddo ond medru gweld olwyn flaen Lyndon. Roedd e ar y blaen, ond allai e ddim dianc yn llwyr rhag y tipyn olwyn flaen. Roedd hi'n dal i fod yno!

Roedd e bron â marw eisiau edrych, ond feiddiai e ddim.

Roedd yr olwyn yn dal i fod yno.

Roedd y llinell yn dod yn agosach – roedd rhaid iddo edrych!

Un edrychiad bach.

Fe edrychodd. Allai e ddim â chredu ei lygaid.

Roedd yr olwyn flaen yno, ond dyna'i gyd. Doedd dim golwg o weddill y beic nac o Lyndon.

Edrychodd Davidde tua'r blaen i edrych am dyllau ac arafodd wrth fynd dros y llinell derfyn. Caniatâodd i'w hun edrych wysg ei gefn. Gallai weld beic Lyndon ar ei ochr, y blaen wedi'i blygu a'i falu. Cafodd Lyndon ei daflu dros flaen y beic a glaniodd ar ei ben mewn twll ar y trac a'i gorff yn sticio allan ohono, ei goesau'n chwifio yn yr awel iach. Chwarddodd Davidde a gwneud *wheelie* wrth iddo groesi'r llinell.

Teimlai ennill fel rhywbeth hollol ffantastig!

Rhedodd ei dad at Davidde ac roedd dagrau yn ei lygaid.

'Dai! Dai! Wy ddim yn gwbod beth i weud – wy'n teimlo mor browd!'

Doedd Davidde ddim yn gwybod beth i'w ddweud chwaith. Dyma'r tro cynta i'w dad fod yn falch ohono. Er gwaetha'r holl ymdrech roedd e'n ei wneud yn yr ysgol, sylweddolodd nad oedd ei dad yn deall dim ar hynny. Dyma'r math o beth roedd e'n ei ddeall.

'Fyddet ti wedi'i guro fe ta beth, ond pan aeth e dros flaen ei feic, wel … wy'n gwbod bod e'n beth gwael i weud, ond dyna'r peth doniola i fi weld yn 'y mywyd i erioed.'

'Well i fi weld shwd ma e, Dad.'

'Ie, cer di.'

Aeth Davidde draw. Roedd Lyndon mas o'r twll bellach. Eisteddodd ar y llawr, yn ceisio cael ei wynt ato.

'Well bo ti heb ddod draw fan hyn i neud hwyl am 'y mhen i.'

'Na – wy wedi dod i weld os wyt ti'n iawn. Wyt ti'n iawn?'

'Ydw. Fydden i wedi dy guro di fanna. Fydden i'n dy guro di yn y ras go iawn, cofia di hynny. Gest ti 'bach o lwc fanna.'

Doedd dim byd o'i le ar Lyndon. Wrth gwrs, doedd dim unrhyw fai arno fe, fel arfer. Meddyliodd Davidde tasai Lyndon wedi edrych dros ei feic yn iawn, fyddai e ddim wedi cael problem. Roedd ganddo ddigon o arbenigwyr i'w helpu, wedi'r cyfan.

Cerddodd Dwayne draw at Davidde gyda'i law allan. Edrychai'n rhyfedd.

'Da iawn, byt.'

Allai Davidde ddim deall pam fod Dwayne yn ei longyfarch. Allai e ddim â chredu bod un o griw Lyndon yn bod yn hael yn wyneb colled eu harweinydd. Ysgydwodd Davidde law Dwayne. Teimlai'n rhyfedd.

'Da iawn, byt, fe wnest ti'n dda iawn.' Wrth iddyn nhw ysgwyd dwylo, ceisiodd Dwayne roi arwydd i Davidde gyda'i lygaid. 'Yn dda iawn, iawn.'

'A welest ti unrhyw un edrych ar y ras?'

'Dim ond dy dad.'

'Welest ti rywun ar feic du. Mewn lledr du.'

'Alla i ddim dweud. Ta beth, nest ti'n dda.'

Gallai Davidde deimlo rhywbeth yn llaw Dwayne.'

'Gwd, rial gwd. Amser i ti fynd nawr, yndife.'

'Diolch Dwayne. Ma hwnna'n golygu lot, byt.'

Aeth Dwayne yn ôl at y grŵp. Edrychodd Davidde lawr ar gledr ei law. Roedd Dwayne wedi gadael nyten a sgriw.

Dyna beth oedd yn dal olwyn flaen ar feic sgramblo.

Gwthiai Ralph y beic lan y gwli y tu ôl i'w tŷ, ar y ffordd i'w roi gadw yn y garej. Pan ddaeth ffenest cegin Mr Leyshon i'r golwg, stopiodd Davidde ei dad.

'Be ti'n neud?' holodd Ralph.

'Wy ddim isie i Mr Leyshon 'y ngweld i.'

'Pam lai?'

'Fe aiff e'n wyllt. Roedd e'n helpu fi i brynu telesgop, ond fe waries i'r arian ar y beic. Mae e'n treulio hanner ei amser ar y ffôn gyda'r heddlu'n cwyno am y plant lawr ar y Rec ar y beiciau.'

'A dyw e ddim yn gwbod bo ti'n un ohonyn nhw?'

'Cywir.'

'Ma hwnna'n hollol hilariws, byt!' Safodd Ralph am eiliad. Edrychodd i lygaid Davidde. 'Mae'n rhaid iddo fe ddysgu bod pethe'n newid weithie. Weithie ni sy'n newid. Weithie gall pethe ein newid ni, yn ddwfn tu fewn.'

'Ti'n teimlo'n iawn?'

'Yyy ... ydw, wy'n iawn. Drycha – falle na fydda i o gwmpas lot dros y penwthnos 'ma. Fyddi di'n iawn?'

'Be sy'n digwydd?'

'Dim. Jyst na fydda i o gwmpas lot, iawn?'

'Iawn, ma digon 'da fi i neud ta p'un 'ny.'

'Eitha reit.'

6

Aeth yr wythnos heibio'n gyflym ac fe gyrhaeddodd y ras go iawn yn chwim. Penderfynodd Davidde ddechrau gwisgo jel yn ei wallt ar ôl iddo sylweddoli ei fod yn cael ymateb ffafriol gan bobl am y ffordd y gwnaeth llysnafedd Picl i'w wallt sefyll i fyny'n syth. Doedd pobl ddim yn gwneud hwyl am ei ben o gwbl. Wnaeth e ddim cyflawni llawer mwy o'i brosiect Celf, er fe lwyddodd i osgoi Miss am wythnos arall. Doedd Dwayne ddim wedi dweud unrhyw beth am y mela ddigwyddodd i feic Lyndon chwaith – gadawyd y peth heb ei gydnabod. Bu Dwayne yn ymddwyn yn gyfeillgar yn y gwersi Celf, ond aeth Kaitlinn i'r cyfeiriad arall yn hollol. Arhosodd Davidde ymhell oddi wrthi. Roedd hefyd fel petai'n gweld llai ar ei dad hefyd – doedd e braidd byth adre'r dyddiau hyn. Dechreuodd Davidde bendroni faint o gardiau allai un dyn eu chwarae?

Roedd Lyndon ymddwyn yn dawedog hefyd. Efallai mai'r cywilydd o golli oedd achos hyn, neu'r ffaith iddo hwylio dros flaen y beic a glanio ar ei ben mewn twll, roedd yn anodd gwybod. Beth bynnag oedd yr achos, welodd Davidde ddim lawer ohono hyd nes i'r posteri ddechrau ymddangos.

Fe gyrhaeddon nhw bob wal yn yr ysgol un diwrnod.

Roedd cyffro mawr. Ar y dydd Mawrth cyn y ras, ar amser egwyl cerddodd Ceri Ffys draw at Davidde ar y iard.

'O mai gosh, wy wedi clywed bo ti'n fflipin wych ar y beic, yndife.'

Doedd Davidde ddim yn gwybod beth i'w ddweud.

'Fi'n weddol, ti'n gwbod,' meddai.

Ond tu fewn roedd e'n hynod hapus. Doedd y math yma o beth ddim yn digwydd iddo fel fel arfer. Ac nid Ceri Ffys oedd yr unig un. Roedd bechgyn Blwyddyn 7 yn edrych arno fel petai'n dduw. Teimlai Davidde ar ben ei ddigon.

Ar ddydd Mercher, roedd e'n trefnu ei wallt llawn jel o flaen y drych yn y toiledau cyn y wers Gelf. Daeth Picl mewn ar ei ben ei hun, ac edrychodd ddwywaith pan welodd Davidde. Aeth Picl yn syth am wddf Davidde. Cydiodd ynddo a'i ddal yn erbyn wal oer a gwlyb.

'Gwranda di 'ma, Dai, wy ond yn mynd i weud hwn unwaith, mêt, felly gwranda'n astud.'

Gwyddai Davidde nad oedd dim y gallai ei wneud. Dros y blynyddoedd, dysgodd Davidde i gadw ei ben lawr, a pheidio â bod yn y tai bach ar yr adeg anghywir. Cadwodd hyn e'n ddiogel. Ond nawr roedd e wedi rhoi ei hun mewn perygl. A nawr roedd e'n talu'r pris am fod yn orhyderus.

'Gwranda, Dai.' Roedd rhywbeth diffuant iawn ym mhledio llygaid gleision dolurus Picl.

Arhosodd Davidde am yr ergyd i'w stumog a slap llysnafeddog lwmpyn o fflem Picl yn ei wallt. Roedd Picl am dalu'r pwyth am roi'r syniad o wisgo jel iddo.

'Fi'n lico dy wallt.'

'Diolch. Jel yw e tro 'ma, nid dy fflem di.'

'Mae'n rhaid i ti ennill nos Wener,' meddai Picl. 'Wy'n gwbod bo ti'n meddwl bo fi lico Lyndon, ond wy ddim. Fi ond yn whare ambyti fel nad yw e'n neud hwyl am ben fy mola i.'

Oedodd.

'Alla i ddim â help os bod tamed bach mwy o groen arna i. Dyna ma Mam yn weud.'

Yna gadawodd Picl, gan glatsio'r drws ynghau.

Ychydig eiliadau'n ddiweddarach, ymddangosodd eto.

'Ddes i mewn i gael pisiad,' meddai.

Roedd Davidde yn disgwyl cael gwers Gelf hir arall o guddio rhag Miss, ond daeth Dwayne â lwc iddo fe. Eto, doedd dim gwaith ganddo i'w ddangos i Miss Puws-Pyrfis ac roedd am sicrhau ei fod yn eistedd mewn man lle gallai ddianc yn hawdd fel na allai Miss ei ddal mewn cornel a chael sgwrs am ei ddiffyg gwaith cwrs. Fyddai hi ddim yn hir hyd nes hanner tymor ac yna dim ond ychydig wythnosau fyddai'n weddill i gael pob dim wedi'i orffen cyn bod yr arholwr yn dod.

Eisteddodd Dwayne yn agos at Davidde.

'Wy wedi cymryd dy gyngor di.'

Doedd Davidde ddim yn cofio rhoi unrhyw gyngor.

'Ti'n gwbod. Am roi rhywbeth sbesial iddi. Mewn bocs, yntife.'

Diflannodd Dwayne o dan y bwrdd ac yna ymddangosodd gyda bag. Roedd hyn yn syndod, achos fyddai e byth yn dod â bag i'r ysgol fel arfer. Chwiliodd am hydoedd yn y bag a thynnu tun metel allan, y math o dun fyddai wedi dal bisgedi'n wreiddiol. Gofynnodd Davidde beth oedd ynddo.

'Gwylia hwn nawr,' meddai, cyn dod o hyd i bin ffelt trwchus. Ysgrifennodd mewn ysgrifen anferthol arno, 'fi ffili aros is santes dwinwen x'. Cripiodd ar draws yr ystafell i'r fan lle roedd Ceri Ffys wedi bod yn eistedd. Roedd hi'n edrych drwy lyfrau celf ar silff lyfrau Miss, felly gadawodd Dwaine y tun ar ei desg. Yna cripiodd ei ffordd yn ôl.

'Be sy yn y tin, Dwayne?'

'Ffaelu dweud.'

'Wel, dyna beth meddylgar i neud. Do'n i ddim yn meddwl bo ti'n rhamantydd.'

Roedd Dwayne ar bigau'r drain wrth i Ceri gerdded 'nôl i'w sedd gyda llyfr ar Salvador Dalí yn ei dwylo. Roedd wyneb Dwayne yn bictiwr o boen ac roedd yn anadlu'n drwm. Gwasgodd ei ddwylo'n ddyrnau a'u rhwbio'n wyllt yn ôl ac ymlaen ar hyd ei drowsus.

Eisteddodd Ceri ac archwiliodd y bocs. Darllenodd y neges arno ac edrych o gwmpas. Cadwodd Dwayne ei ben lawr a cheisio edrych fel tasai'n gweithio. Ysgydwodd Ceri'r bocs, a gwrando. Rhoddodd y bocs ar y ddesg a cheisio agor y caead. Roedd yn eitha anodd. Rhoddodd gynnig arall arni; hedfanodd y clawr ar draws y desg a thorrwyd ar draws tawelwch yr ystafell gelf gan sŵn y clawr yn clindarddach ar y ddesg ac yna gan sgrechian ofnadwy Ceri.

Roedd Ceri ar ei thraed – roedd rhywbeth gwyrdd ar ei hysgwydd. Roedd hi'n chwifio'i breichiau ac yna roedd y peth gwyrdd ar ei phen! Roedd hi'n dal i sgrechian ac ysgwyd ei phen yn wyllt i'w symud e. Cymerodd y llyfr Salvador Dalí a dechreuodd guro'r ddesg yn ddidrugaredd.

'Beth oedd yn y bocs, Dwayne?' gofynnodd Davidde.

Roedd Dwayne yn chwerthin ac yn crio ar yr un pryd. 'Broga!' ebychodd e.

Roedd pawb yn gwybod bod Ceri yn dwlu ar anifeiliaid, ond yn ei hofn roedd hi wedi gwasgu'r broga'n fflat. Roedd ei berfeddion e'n rhedeg ar hyd clawr y llyfr ac i lawr y meingefn. Doedd Miss, na Dwayne ond yn bennaf Ceri, ddim yn gweld yr eironi. Treuliodd Ceri weddill y dydd yn ystafell y nyrs yn dod dros y sioc. Treuliodd Dwayne weddill y dydd yr ystafell y Dirprwy Bennaeth yn ysgrifennu, ond teimlodd fod hynny'n werth y cwbl. Roedd Davidde wth ei fodd achos roedd yr holl bantomeim wedi chwalu'r wers yn llwyr, a doedd dim rhaid iddo boeni am ei waith celf am wythnos arall.

Doedd Davidde ddim eisiau galw i weld Mr Leyshon ar ôl ysgol, ond fe wnaeth hynny beth bynnag. Bu Davidde yn ceisio'i osgoi am ei fod yn teimlo'n anghyfforddus gyda'i fywyd dwbl, yn gwrando gyda chydymdeimlad ar gŵynion Mr Leyshon a'i gasineb llwyr o sgramblo a'r sgramblwyr, ac yntau ei hun bellach yn un o'r sgramblwyr hynny roedd ei gymydog yn eu casáu gymaint. Gadawodd Mrs Leyshon Davidde i mewn, ond chafodd e ddim o'r croeso arferol. Dilynodd hi i'r gegin. Doedd Mr Leyshon ddim wrth y ffenest, ond yn eistedd wrth fwrdd y gegin, yn cwyno am rywbeth yn y papur y tro hwn.

'Gwallgo, mae wedi mynd, y byd. Mae'r byd wedi mynd yn wallgo,' meddai.

'Cymer fisgeden,' cynigiodd Mrs Leyshon.

'Alla i ddim, wy'n gandryll am yr alpacas yng Nghydweli.'

'Do'n i ddim yn siarad â ti. Ro'n i'n siarad â Davidde. Cymer di un pan fyddi di wedi pwyllo ryw gymaint.'

'Ond bydd y te'n oer wedyn. Ac mae pawb yn gwbod nad oes pwynt cael bisgeden gyda the oer, fenyw.'

'Wel ... wel ... stica fe lân dy ben-ôl 'te!' llefodd Mrs Leyshon, a rhedodd i fyny'r grisiau'n fôr o ddagrau ar ôl iddi daflu bisged at ben Mr Leyshon.

Doedd Davidde ddim wedi'u gweld nhw fel hyn erioed o'r blaen. Roedden nhw wedi ffraeo ddigonedd o weithiau, ond chlywodd e mo Mrs Leyshon yn crio i fyny'r grisiau fel hyn o'r blaen, a theimlai ychydig yn lletchwith. Daliodd Mr Leyshon i ddarllen y papur gan fwmial. Dilynodd Davidde Mrs Leyshon i fyny'r grisiau.

'Mae'n flin gen i, Davidde, bach. Shwd wyt ti? Shwd mae'r ysgol yn mynd? Dy'n ni ddim yn dy weld di cymaint ag yr oedden ni.'

Meddyliodd Davidde am yr ysgol. Roedd wedi bod yn ardderchog, ond nid yn y ffordd y byddai Mrs Leyshon yn ei feddwl. Doedd e ddim wedi gwneud dim o'i waith ysgol ers tro, gwaith y byddai wedi'i wneud petasai wedi bod yn galw arnyn nhw'n amlach. Meddyliai y byddai'n well tasai e'n cadw'r wybodaeth hon iddo fe'i hunan, achos fe allai wneud pethau'n waeth.

'Mae popeth yn iawn, Mrs Leyshon.'

'Shwd mae dy dad? Heb ei weld e ers sbel chwaith.'

'Wy ddim wedi gweld lot ohono fe chwaith, a bod yn onest, Mrs Leyshon.'

Roedd hi'n snwffian o hyd.

'Sori, Davidde,' meddai, 'ond weithiau alla i ddim delio ag e. Mae e'n gymaint o ... fochyn.'

'Mae e wedi bod yn eitha crac yn ddiweddar.'

'Mae e'n iawn ar y cyfan ac wy'n gwbod 'mod i'n lwcus. Mae wedi bod yn anodd ar dy dad, yn colli dy fam fel 'na.'

Meddyliodd Davidde am Mr Leyshon lawr llawr, yn peidio ag ymddiheuro ac yn mwmial iddo'i hun. Ac yna fe sylweddolodd Davidde rywbeth. Am sbel hir bu Davidde yn teimlo'n euog am y ffaith fod Mr a Mrs Leyshon wedi bod mor dda iddo dros y blynyddoedd, yn enwedig ar ôl i'w fam farw. Y troeon wnaethon nhw goginio iddo fe, ei helpu gyda'r gwaith cartre nad oedd ei dad yn medru ei wneud, y nifer dirifedi o baneidiau te, y troeon y bu'n gwylio'r sêr gyda Mr Leyshon. Ond nawr, fe sylweddolodd Davidde eu bod nhw wedi cael rhywbeth ganddo fe hefyd – roedden nhw'n mwynhau ei gwmni, a doedd dim rhaid iddo deimlo'n euog. Teimlodd yn euog am gymaint o bethau – am fod yn faich ar ei dad, am gael ei fwlio yn yr ysgol, am beidio â chael dim i'w ddweud wrth bobl.

Sylweddolodd nad oedd yn rhaid iddo deimlo'n euog am bob un dim.

'Iawn, Mrs Leyshon, fe siarada i ag e nawr,' meddai Davidde. Ac wrth iddo gamu lawr y grisiau ris wrth ris, sylweddolodd nad oedd ganddo'r syniad cynta am beth oedd am wneud, ond byddai'n rhoi cynnig ar rywbeth.

Roedd Mr Leyshon wrth y ffenest yn taranu, ei finociwlars yn ei law. Roedd ei wyneb yn goch ac roedd e'n crynu.

'Cnafon! Dihirod!'

'Hei, Mr Leyshon. Beth sy'n digwydd?'

'O, dim ond yr arferol. Y byd i gyd yn mynd yn wallgo, ffyliaid ar y Rec a'r heddlu'n cymryd yr un iot o sylw.'

'Dyw Mrs Leyshon ddim yn ymddangos yn rhy hapus.'

'Paid â phoeni amdani hi. Dyw hi byth yn hapus.'

Meddyliodd Davidde na fyddai e'n rhy hapus chwaith tasai e yn esgidiau Mrs Leyshon, ond ddwedodd e ddim byd.

Rhoddodd Mr Leyshon y binociwlars lawr. Syllodd yn galed ar Davidde.

'A shwd ma'r ysgol yn mynd?'

Teimlai Davidde yn anghyfforddus. Roedd fel petai Mr Leyshon yn gwybod y gwir. Crafodd Davidde ei ben. Gallai deimlo'r jel yn ei wallt.

'Wel …' dechreuodd Davidde. Ac ar yr union foment daeth sŵn tapio ar y ffenest. Ei dad oedd yno.

'Dere 'nôl i'r tŷ, boi, wy 'di ca'l cyrri i ni. Heia Charlie, shw ma pethe?'

Aeth Mr Leyshon at y drws er mwyn gadael Davidde allan.

'Ro'n i'n dweud wrth Davidde fan hyn,' meddai

Mr Leyshon, 'nad oedden ni wedi gweld llawer ohono fe'n ddiweddar.'

'Wy ddim yn synnu, Charlie,' medd ei dad. 'Mae e wedi bod yn brysur yn ymarfer.'

'Ymarfer?'

'Ie, ymarfer.'

'Ymarfer. Am beth?'

'Y ras fawr nos Wener 'ma.'

'Pa ras fawr nos Wener 'ma?'

'Lawr ar y Rec. Ar ei feic.'

Clywodd Davidde binociwlars Mr Leyshon yn clatsio'r llawr pren.

'Fe gei di olygfa dda o'r fan hyn.'

Ond ddim ar ôl torri'i finociwlars.

Pwyntodd Mr Leyshon at Davidde.

'Ti ... shwd ... ers pryd ... pam?' tasgodd y geiriau allan o geg Mr Leyshon.

'Dere nawr, Charlie,' meddai Ralph. 'Mae e'n ifanc, mae ganddo feic ac mae e'n cael hwyl. Dyw e ddim yn brifo neb ...'

'OND MAE E YN ERBYN Y GYFRAITH! MAE E'N RHY IFANC! DYW E DDIM YN DWP FEL Y GWEDDILL! DYW E DDIM YN DWP FEL ...'

Caeodd ei geg.

Roedd Ralph yn sefyll yn agos at Mr Leyshon.

Gwelodd Davidde e'n symud yn agosach at ei wyneb. Edrychai'n grac ac roedd e'n siarad yn isel.

'Na, caria mlân. Beth oeddet ti am weud?'

Edrychodd Mr Leyshon i ffwrdd. Roedd Davidde yn poeni fod ei dad am roi clatsien i Mr Leyshon.

'Ddim yn dwp, fel fues i, ife? Ife dyna oeddet ti am weud?'

Crymodd Mr Leyshon o dan y pwysau seicolegol, ond daliodd ei dir. 'Mae'n cael hwyl, ydy e? Cael hwyl. Fel roedd Stuart Davies yn cael hwyl.'

Tynnodd Ralph yn ôl fel tasai e wedi cael ei fwrw. Edrychai fel petai e wedi crebachu o droedfedd.

'Stuart Davies … Stuart Dav … nawr, roedd e'n dwp … roedd e yn dwp ...'

Camodd Ralph i ffwrdd o ddrws Mr Leyshon a phwyntio at Mr Leyshon fel petai'n ei fygwth, ond roedd yn amlwg wedi'i gorddi wrth iddo gamu wysg ei gefn tuag at ei dŷ ei hun.

'Roedd e'n dwp. Roedd e'n dwp, heb os. Ond roedd e'n bendant yn cael hwyl.'

Wrth reswm, roedd Davidde eisiau gwybod pwy

oedd Stuart Davies. Roedd Ralph ychydig gamau o flaen ei fab, ond pan gyrhaeddodd Davidde y gegin roedd gan ei dad gan o seidr o'i flaen a sigarét yn mygu'n ffyrnig yn ei geg.

'Gad i fi weud wrthat ti am Stuart Davies,' meddai Ralph yn dawel, gan edrych i'r pellter drwy ffenest y gegin. 'Ro'dd Stuart Davies yn wallgo. Wy'n gwbod bod pobl yn dweud hwnna am bobl sy chydig bach yn rhyfedd, neu bobl sy'n ymddwyn yn ddwl er mwyn cael sylw, neu pobl â gwallt coch (roedd ganddo Stuart wallt coch, gyda llaw), ond roedd Stuart yn wallgo go iawn. Ro'n ni yn yr un flwyddyn yn yr ysgol, ro'n i'n arfer iste ar ei bwys e. Wel, fe wnes i pan oedd e'n dal i frwsio'i ddannedd.'

'Pam roddodd e'r gore i frwsio'i ddanedd, Dad?'

'Gafon ni ras lawr ar y Rec un diwrnod, ac ar y diwrnod hynny fe anghofiodd e frwsio'i ddannedd. Ro'n ni wedi bod yn gwneud hwyl am ei ben e drwy'r dydd, yna fe gafon ni ras ac fe enillodd e. Y noson ganlynol, fi enillodd – ro'dd e wedi cofio brwsio'i ddannedd y diwrnod hwnnw. Felly'r tro nesa roedd ganddo ras, wnaeth e bwynt o beidio brwsio, a beth ddigwyddodd?'

'Enillodd e?'

'Cywir. Ro'dd e'n argyhoeddedig bod brwsio'i ddannedd wedi gwanhau ei sgiliau sgramblo. Ro'dd e fel y Samsung 'na o'r Beibl, ond gyda dannedd oren mwsoglyd yn lle gwallt hir. Dyna pryd wnes i roi'r gore i eistedd ar ei bwys yn y dosbarth. Ro'n i wedi dechrau teimlo'n dost yn y gwersi.'

'Ro'ch chi'n ffrindiau gore felly?'

'O, oedden, ro'n ni'n gwneud popeth gyda'n gilydd. Reido beics, gweld merched, ymladd gyda'r bechgyn o'r Parc. Popeth. Ro'dd e chydig bach yn hŷn na fi, chydig bach yn fwy a chydig bach yn gyflymach yn neud pethe na fi hyd yn oed.'

'Felly beth digwyddodd iddo fe?'

'Po fwyaf ro'dd e'n ennill, mwya sicr o'dd e nad oedd e'n gallu colli. Ro'dd e'n meddwl ei fod e'n anorchfygol. Dechreuodd e neud pethe dwl, pethe twp ...'

'Fel beth, Dad?'

'Stynts, neidio pellter, pethe fel'na. Bydden ni'n cael bechgyn iau i orwedd ar y llawr mewn llinell a bydde fe'n gosod ramp a hedfan drostyn nhw.' Aeth ei lais yn gryg. 'Ro'dd hi'n amlwg bydde rhywun yn cael damwain.'

‘Cer mlân, Dad ...’

‘Ro’n ni am greu record newydd, ond allen ni ddim ffindo digon o fechgyn. Ro’dd ganddon ni saith gwirfoddolwr ond roedd angen deg arnon ni. Ffindon ni dri arall, ond do’n nhw ddim isie’i neud e, ro’n nhw’n llefen a gwlychu eu hunain a rhedeg bant, felly ro’dd rhaid i ni feddwl am rywbeth arall. Awgrymodd un o’r bois y dylen ni gynnau tân ac y galle Stu neidio dros hwnna. Ond ro’dd Stu hyd yn oed yn meddwl bod hwnna’n swno’n beryglus. Yna, daeth rhywun o hyd i gwter blastig ac fe benderfynon ni ei blygu mewn i siâp bwa. Osodon ni fe ar ben y ramp fel bod Stu yn gallu dod drwyddo fe. Yna daeth rhywun o hyd i ddarn mawr o orchudd plastig glas. Ro’n ni’n gallu ymestyn hwn dros y bwa a gallai Stu hedfan drwyddo fe fel rhywun ar y teli. Ro’dd e am fod yn berffaith.

‘Dyna pryd glywais i’r seirens.’

Cymerodd lwnc o’i ddiod a meddwl am eiliad.

‘Do’dd Stu ddim am i unrhyw beth ei atal, felly fe aeth e ’nôl a refio’r beic. Ro’dd y seiriens yn mynd yn uwch ac yn uwch, a dyna lle’r o’dd rhywun yn rhedeg lawr y bryn yn gweiddi nerth ei ben. Dyma Stu yn refo ac yn refo, ac yna bant ag

e. Ro'dd e'n symud yn anhygoel o gyflym, ei ben e lawr er mwyn ei wneud e'n fwy aerodeinamig. Yna, ac wy ddim yn gwbod pam, fe eisteddodd e 'nôl a gwneud ei hun mor dal â phosib. Dangos ei hunan, siŵr o fod. Beth bynnag, nath e gamamseru ei naid drwy'r gwter blastig.'

Edrychodd yn syth i fyw llygaid Davidde.

'Wy'n gwbod nad yw gwter blastic yn swnio fel tase fe'n gadarn iawn, ond pan ti'n gyrru mewn iddo fel ar chwe deg milltir yr awr heb helmed, alla i dy sicrhau di ei fod e'n hen ddigon cadarn. Daliodd y gwter e reit o dan ei drwyn. Arhosodd ei ben yn llonydd am eiliad ond hedfanodd ei ddannedd mas o'i flaen e, fel marblis brown di-siâp. Ro'dd e'n beth ofnadw.

'Ro'dd e'n gorwedd ar ei gefn, roedd seirens ym mhob man ac roedd gweiddi. Do'n i ddim yn gwbod beth i neud. Rhedodd pawb arall bant, ro'n i isie neud hefyd, ond ro'n i isie neud yn siŵr bod Stu yn olréit. Wy'n dal i deimlo cywilydd hyd heddi, ond fe reides i bant hefyd, a gadael Stu yno.

'Pan o'n i'n ddigon pell bant, dryches i 'nôl ac fe weles i rywbeth anhygoel. Ti'n cofio i fi weud am broblemau glendid Stuart gyda'i ddannedd? Wel, dychmyga hynny gyda gwaed yn pistyllu a dannedd rhydd a gwefuse wedi'u masho. A ti'n cofio i fi weud am y dyn crac oedd yn rhedeg lawr y bryn yn gweiddi? A sut o'dd e wedi colli'i limpin â ni? Wel, ro'dd y dyn wrthi'n rhoi cusan fywyd i Stu. Dyna'r peth mwya anhunanol weles i yn 'y myw. Y peth dewraf erioed, heb os.'

'Pwy oedd y dyn oedd yn gweiddi, Dad?'

'Dyfala.'

Meddyliodd Davidde am foment, symudodd llygaid Ralph yn gyflym tuag at drws nesa.

'Mr Leyshon?'

'Mae'n esbonio lot, yndyw e?'

Ac yna, roedd hi'n ddydd Gwener.

Roedd yr ysgol yn llawn cynnwrf. Roedd rhai o'r criw iau am gymryd rhan ond roedd pawb yn gwybod mai'r ras go iawn fyddai'r un rhwng Lyndon a Davidde. Doedd Dwayne ddim yn yr ysgol y diwrnod hwnnw, ond roedd Davidde wedi hen arfer â pheidio'i weld yn yr ysgol ar ddiwrnod ras. Roedd Dwayne wedi bod gweithio yn y dirgel gyda gang Lyndon, a gobeithio y byddai modd iddo roi trefn ar feic Lyndon fel y gwnaeth y tro diwethaf. Roedd gan Davidde hyder yn y ffordd y gweithredai Dwayne, er bod hyn yn gwneud iddo deimlo ychydig bach yn anghyfforddus. Wedi'r cyfan, yn dechnegol, twyll oedd hynny.

Aeth y diwrnod heibio'n ddigon cyflym, a llwyddodd Davidde i wneud tipyn bach o waith da yn y wers Gelf heb Dwayne yno i dynnu ei sylw. Roedd Miss yn dal i boeni am Davidde, ond gwnaeth ddigon o waith i'w chadw hi hyd braich. Roedd Kaitlinn yn arbrofi gyda chlai ac roedd ei gwaith hi'n hynod addawol.

'Nôl yn y tŷ, roedd ei dad wedi cyrraedd gartre o'i flaen.

'Davidde, ma rhywbeth 'da fi i ti, at heno.'

Dyma anarferol. Doedd ei dad ddim yn un am roi anrhegion i Davidde fel arfer, heblaw am ar ei ben-blwydd neu Nadolig.

'Wy wedi bod lan yn yr atic. Fy hen sgidie a menyg i y'n nhw. Bydden i'n rhoi'r helmed i ti ond o'dd colomen wedi neud nyth ynddi. Stecs ofnadw ynddi hi.'

Roedden nhw'n ddu ac ôl traul arnyn nhw, ond roedden nhw'n hollol cŵl.

Diolchodd Davidde i'w dad a'u gwisgo nhw. Edrychodd arno'i hun yn y drych a theimlai ei hun yn tyfu o ddwy fodfedd. Teimlai'n hollol anorchfygol.

'Nawr, cer mas a dangos i'r Lyndon 'na be ti'n gallu neud. Dangos di iddo fe. Ac i'w dipyn dad e hefyd. Yn enwedig i'w dad. Fe yw'r mecanic gore wy'n nabod, ond myn yffach i, ma treulio pum munud yn ei gwmni fe'n ddigo i hala unrhyw un yn boncyrs.'

Edrychai fel pe bai miloedd o bobl lawr ar y Rec. Roedd desg i gofrestru ar gyfer y ras. Roedd Dom Baw yno, y boi teledu rhyfedd yna o'r gwasanaeth ysgol.

'Ti 'ma am y ras, ie?'

'Ydw,' dywedodd Davidde.

'Llofnod fan hyn, ie?'

'Beth yw e?'

'Iechyd a diogelwch, ie? Mae'n meddwl os ti'n brifo neu'n marw does dim rhaid i fi wneud unrhyw beth, ie? Wel, neu dim lot o leia, ie? Ti'n gorfod llenwi ffurflen am bob dim dyddie 'ma, ie?'

'Ie?'

'Ie. Wela i di ar y llinell gychwyn mewn deg munud, Ie?'

'Ie.'

Roedd Davidde yn ei chael hi'n anodd i siarad â rhywun oedd yn gofyn cwestiwn, hyd yn oed pan oedd yn rhoi ateb. Ceisiodd ganolbwyntio ar y ras fawr. Edrychodd i weld a oedd Dwayne yn gweithio ar feic Lyndon. Fe fuodd e'n gyfrwys iawn y tro diwetha. Teimlai Davidde yn wael iddo feddwl bod Dwayne yn rhy dwp i wneud y fath beth, ond fe wnaeth e'n dda iawn. Gobeithiai y byddai Dwayne wedi llwyddo i gyflawni rhywbeth tebyg ar gyfer heno, meddyliodd Davidde. Synnodd at ba mor dawel oedd ei feddwl hefyd. Symudodd draw at y llinell ac edrych dros y cwrs gyda sgrin ei helmed yn agored.

Roedd e'n hyderus, ond ddim yn rhy hyderus; roedd pob dim o dan reolaeth ond ddim gormod; roedd e'n cŵl, ond ddim yn rhy cŵl.

Y foment honno, blasodd bridd yn ei geg a theimlo'r llaid yn llosgi ei lygaid. Roedd Lyndon wedi taflu cwlffyn tywarch yn ei wyneb.

'Ma isie i ti ddod i arfer ag e, byt, achos fe fyddi di'n blasu lot mwy o hwnna pan fydd di'n cwmpo bant!'

Wrth i Davidde lanhau'r llacs o'i wyneb, ceisiodd feddwl am rywbeth clyfar y gallai ddweud wrth Lyndon er mwyn talu'r pwyth yn ôl, ond ddaeth dim byd i'w feddwl. Penderfynodd y byddai'n well codi cywilydd ar Lyndon drwy ei guro'n rhacs yn y ras yn hytrach na brolio nawr ac edrych yn ffôl wedyn pe na bai e'n ennill. Gallai fod yn huawdl gyda'i feic (a chyda beth bynnag fyddai Dwayne wedi'i wneud i feic Lyndon).

Clywyd y rhybudd dwy funud. Casglodd y beicwyr ar y llinell, a chasglodd y gwylwyr o amgylch y cwrs. Gwyddai pawb y byddai'r ras hon wedi bod yn hawdd i Lyndon hyd at yn ddiweddar. Roedd wedi arglwyddiaethu dros y cwrs ers blynyddoedd, ond nawr roedd newydd-ddyfodiad gydag enw rhyfedd, un nad oedd pobl yn ei ofni, ac roedd bron pawb o'i blaid e. Roedd pawb yn cnoi drwy fyrgyrs a chŵn poeth rhad wedi'u prynu o'r faniau bwyd a gyrhaeddodd o nunman, gan gymryd mantais o'r cannoedd ddaeth i weld y sioe.

Teimlodd Davidde yn rhan o rywbeth mawr. Doedd bron dim byd yn digwydd yn y pentre ar nosweithiau Gwener, neu o leia ddim pan oedd hi'n dal i fod yn gefn dydd golau a phawb yn sobor. Meddyliodd Davidde am ba mor bell fu ei daith – hyd at yn lled ddiweddar, byddai wedi bod adre'n y tŷ yn darllen llyfrau am sêr, neu'n gwneud ei waith cartre hyd yn oed! Beth ddaeth dros ei ben? Roedd yr holl yma'n ardderchog, a doedd e ddim am i'r cyfan ddod i ben chwaith. Roedd yn rhaid iddo guro Lyndon ac roedd yn rhaid iddo gael lle yn y gystadleuaeth. Roedd yn rhaid iddo fe.

Gwelodd ei dad yn y dorf a gwelodd y Marchog Du'n edrych lawr o dwyn uwchben y tyrfaoedd.

Dyma ni. Roedd pob injian wedi tanio.

Y Ras Fawr.

'Y'ch chi gyd yn barod, ie?'

Roedd Dom Baw yn siarad drwy fegaffon, yn sefyll o flaen y llinell gychwyn gyda baner ddu a gwyn yn ei law.

'Wy'n gwbod bo chi'n barod i fynd, ond mae cwpwl o bethe i sôn amdanyn nhw cyn dechrau, ie?'

Pwyntodd at un o'r beicwyr. 'Ti, 'y ngwas i, sdim hawl i ti gael pigau metel yn dod mas o ochrau dy feic. Ddim Ben Hur wyt ti – bagla hi o 'ma, ie?'

'Diflas,' cwynodd y crwt dienw.

'Dim hergydio, dim goglais, dim tyrchu, dim bachu, dim cnoi, dim lapswchan, ie? Ar wahân i hynny, chi'n iawn, ie?'

Cytunodd y naw beiciwr oedd yn weddill.

'Ar eich marciau, barod, ewch, ie?'

Symudodd neb. Do'n nhw ddim yn siŵr a oedd e wedi dechrau'r ras ai peidio.

'Nawr ife, ie?'

A bant â nhw.

Doedd Davidde ddim wedi arfer reidio mewn grŵp mor fawr, a daeth i'r casgliad y byddai'n well iddo aros allan o drwbwl ar y tro cynta. Roedd e'n iawn – anelodd y tri cyntaf am y llinell rasio mwyaf tyn, a chlatsio a chwalu yn erbyn ei gilydd. Dim ond chwech oedd ar ôl yn y ras ac roedd e'n ymwybodol bod dau ohonyn nhw wedi cael llond twll o ofn ac yn gyrru fel hen ddynion ar brynhawn Sul. Gallai gadw Lyndon yn ei olygon a'i gymryd e ar y tro ola pan fyddai beth bynnag roedd Dwayne wedi'i wneud i feic Lyndon yn dechrau digwydd.

Ar yr ail dro penderfynodd symud yn agosach at Lyndon, oedd ar y blaen. Agorodd y sbardun er mwyn goddiweddyd y beiciwr oedd yn yr ail safle. Ond pryd bynnag fyddai Davidde yn ceisio gyrru heibio iddo, byddai'n tynnu allan yn galed, gan achosi iddo frecio a cholli tir ar Lyndon. Doedd hyn ddim yn gwneud unrhyw synnwyr – pam y byddai rhywun yn ceisio'n galetach i atal Davidde nag i ennill y ras ei hunan, pan mai dim ond un wobr oedd i'r enillydd?

Trodd y beiciwr ei ben am foment. Cafodd Davidde gip ar wyneb hyll Craig Gwep yn crechwenu arno. Roedd y cyfan yn gwneud synnwyr nawr! Roedd Craig yno i atal Davidde rhag curo Lyndon, ac roedd e'n gweithio – roedden nhw bron â bod ar ddiwedd yr ail dro!

Roedd Craig yn gwneud siapiau gyda'i geg, 'Fel dy fam!' i gyfeiriad Davidde, a chwythu cusan ato.

Tasai Craig Gwep wedi canolbwyntio ar rasio yn hytrach na brolio, efallai na fyddai Davidde wedi'i basio fe. Ond allai e ddim â helpu ei hun – dyna'r math o berson yr oedd e. Cydiodd Davidde yn ei gyfle a gwthiodd ei hun drwy'r llygedyn o oleuni roedd Craig wedi'i adael yn glir drwy dynnu ei lygad oddi ar y llwybr.

Dyna i gyd oedd angen digwydd nawr oedd i feic Lyndon ddechrau datgymalu. Pendronodd Davidde dros yr hyn y gallai Dwayne fod wedi'i wneud iddo. A fyddai Lyndon yn hedfan dros flaen y beic eto? A fyddai'r cyrn yn datod yn ei ddwylo? Wrth iddo feddwl am hyn, sylweddolodd nad oedd e'n agosáu yr un fodfedd at Lyndon o gwbl. Meddyliodd y dylai roi tro ar fynd heibio i Lyndon yn hytrach na dim ond aros i rywbeth ddigwydd.

Roedd e ar gwt Lyndon, ond roedd yntau'n glynu wrth y llinell fewnol a doedd gan Davidde ddim o'r pŵer i fynd heibio ar yr ochr bellaf. Dim ond tair cornel oedd yn weddill ac roedd Davidde yn dal i fod yn ail. Pryd fyddai beic Lyndon yn malu?

Ar y gornel, tybiodd Davidde iddo weld ychydig bach o le, ond caeodd Lyndon y lle yn syth ac roedd Davidde ar y tu allan unwaith eto. Dwy gornel i fynd!

Ar y darn syth, roedd y ddau'n gyfartal. Ceisiodd Davidde beidio â chael ei lygad-dynnu, ond allai e ddim â pheidio ag edrych draw at Lyndon am eiliad. Roedd yn eitha peth iddo wneud, achos dyna lle roedd Lyndon yn pwyso drosodd i estyn am gyrn blaen beic Davidde. Cydiodd ynddyn nhw a dechrau eu hysgwyd, gan geisio taflu Davidde oddi ar ei feic.

Ac fel yna yr aethon nhw rownd y gornel olaf ond un, Lyndon yn ysgwyd beic Davidde a Davidde yn ceisio cadw ei hun rhag syrthio. Edrychai fel petai beic Lyndon yn colli pŵer, sylweddolodd Davidde hynny am fod Lyndon wedi cydio yn ei feic. Roedd gan Davidde y llinell fewnol i fynd am y gornel olaf – dyna'r oll oedd yn rhaid iddo'i wneud oedd aros ar ei feic a byddai'n ennill!

Ond roedd Lyndon yn dal â gafael yn ei feic. Ar y darn syth olaf, ceisiodd Davidde dorri'n rhydd, ond roedd yn dal i fod yn brwydro yn erbyn Lyndon. Sgrialodd y ddau ohonyn nhw i ffwrdd oddi ar y llwybr tuag at glwstwr o goed a phlygodd Davidde ei ben yn gyflym er mwyn osgoi cangen isel. Welodd Lyndon mohoni am ei fod yn rhy brysur yn ymyrryd â beic Davidde, ond fe deimlodd e'r gangen wrth iddi daro'r helmed yn glewt. Saethodd ei feic yn ei flaen heb ei bwysau ar ei gefn a gorffennodd y beic y ras cyn Davidde, ond doedd dim ots am hynny – roedd Lyndon yn gorwedd dan y coed yn curo'r llawr gyda'i ddyrnau wrth i Davidde gwblhau'r ras a gwneud un tro buddugoliaethus arall o gwmpas y trac i ddathlu.

Teimlai Davidde fel arwr am y tro cynta yn ei fywyd. Roedd pobl yn cymeradwyo a gweiddi, ac fe gafodd botel bop ffrwydrol ei chwistrellu dros y llwyfan bach gwyn. Dywedodd y dyn o'r teledu y byddai mewn cysylltiad ac roedd ei dad yn crio dagrau tewion o hapusrwydd.

Sgrialodd y Marchog Du i ffwrdd gan wneud *wheelie*. Roedd y cyfan yn un gybolfa o bob dim.

Teimlodd Davidde fod yn rhaid iddo gymryd ei dad adre cyn iddo greu mwy o sôn amdano'i hun.

7

Amser gwasanaeth oedd hi ar ddydd Llun. Roedd y pennaeth ar y llwyfan. Roedd y llenni ar gau y tu ôl iddo. Teimlai'r gynulleidfa'n llawn cynnwrf disgwylgar.

'Nawr 'te, ferched a bechgyn, mae ganddon ni wasanaeth arbennig iawn y bore 'ma. Wy'n gwbod beth r'ych chi'n ei feddwl: sgwn i sut fydd e'n codi cywilydd arno'i hunan y tro yma? Wedi'r holl straeon trist ac ar ôl y dawnsio tap, sut fydd e'n creu embaras y tro yma? Wel fe ddyweda i wrthach chi. Wy ddim am wneud. Wy ddim am wneud, achos am unwaith dyw'r gwasanaeth hwn ddim amdana i. Mae am ddyn ifanc arbennig iawn sydd yma gyda ni nawr. Ac wy'n credu'ch bod chi'n gwbod am bwy rydw i'n siarad.

'Ond beth am fynd yn ôl rai camau. Dewch i ni

fynd yn ôl i'r dechrau. Y dechrau, pan ddechreuais i yma fel prifathro. Nawr wy'n gwbod beth sy'n mynd drwy'ch meddyliau chi pan fyddwch chi'n edrych arna i; ry'ch chi'n edrych lan arna i ac yn meddwl sut 'mod i wedi dod yn rhywun o awdurdod ac eto 'mod i'n "dŵd cŵl", fel ry'ch chi bobl ifanc yn ddweud. Wel, dyw e ddim yn hawdd, alla i ddweud wrthoch chi'n onest, ond fel ddywedes i, dyw hwn ddim amdanaf i, felly fe gadwa i hwnna ar gyfer gwasanaeth arall.

'Pan ddechreuais i yma, roedd angen i fi gael teimlad am y lle, felly fe siaradais â phobl, ac fe wyliais, ac ar y cyfan ro'n i'n hoffi'r hyn a welais i. Fe welais fywiogrwydd, fe welais egni, fe welais awch am fywyd – gan y mwyafrif ohonoch chi.

'Ond roedd yna un dyn ifanc, roedd e mor wahanol. Llygaid gwag, pŵl, yn cerdded o gwmpas gan edrych ar y llawr a pheidio siarad â neb. Wy'n siŵr bod y rhan fwyaf ohonoch chi'n teimlo'r un peth â fi pan oeddech chi'n ei weld e'n cerdded lawr y coridor. Byddech chi'n meddwl, "Dyma fe'n dod, Davidde Bripsyn diflas, gobeithio na fydd e'n dechre browlan am sêr eto", neu "Myn yffach i, dyma Davidde Bripsyn diflas, pam na wnaiff e daflu ei hun oddi ar glogwyn neu rywbeth?"

'Peidiwch â 'nghamddeall i – wy'n cytuno fod gwaith a dim gŵyl yn wael i fachgen, ond wy hefyd yn meddwl bod gŵyl a dim gwaith yn gwneud y bachgen yn boen yn y pen-ôl. Mae am ddod o hyd i gydbwysedd. Roedd e'n ardderchog bod Davidde yn gwneud ei waith cartref, ond roedd angen rhywbeth arall arno.

'Yn ffodus i ni, mae e wedi newid. Mae'n dal i wneud ei waith cartref – mewn gwirionedd, mae'n gwneud mor dda yn ei gwrs Celf fel ei fod am gymryd ei arholiad TGAU flwyddyn yn gynnar. Meddyliwch am hynny, ferched a bechgyn!'

Roedd rhai o'r disgyblion yn cymeradwyo, ond gallai Davidde deimlo llygaid Miss Puws-Pyrfis yn tyllu mewn i'w benglog. Edrychodd tua'r nenfwd er mwyn osgoi ei hedrychiad.

'Ond nawr, ar wahân i'w allu academaidd, mae e wrthi'n datblygu dawn arall – sgramblo beics. Ar nos Wener fe enillodd e gystadleuaeth, a nawr bydd e'n ein cynrychioli ni ar y sioe *Sgramblo am y Sêr* ar Deledu'r Cwm. Bydd tair ras fawr yn digwydd dros dair noson yn rhoi cyfle i Davidde ennill hwn ...'

Cododd y prifathro ei fraich wrth i'r llenni agor a datgelu beic sgramblo newydd sbon sgleiniog, y Pegasws DC-5000L. Disgleiriai o dan y goleuadau ac roedd niwlen gyffrous o iâ sych yn rholio ar draws y llwyfan. Gwyddai Davidde mai dyma oedd y wobr, ond doedd e ddim yn disgwyl ei weld y bore yma, a lledodd llygaid Dwayne a Davidde yn hollol agored mewn syndod.

Roedd yn rhaid i Davidde ei gael e.

Ar ôl y gwasanaeth, esboniodd y dyn teledu, Dom Baw, sut fyddai'r gystadleuaeth yn gweithio. Roedd ei gwmni ar fin sefydlu sianel deledu leol i'r ardal, ac un o'r sioeau cyntaf fyddai'r sioe am yr her sgramblo. Byddai tair ras, un yn Abercwmffrimpan, un yng Nglynwenci a'r ras derfynol ym Maesunig. Roedden nhw hefyd yn benthyg syniad o fyd reslo, lle roedd gan y cystadleuwyr nodweddion penodol, fel bod pobl nad oedd yn dilyn sgramblo fel arfer yn cael teimlad o ddrama yn y sioe.

'Fyddi di ddim yn defnyddio dy enw arferol di, ie, gewn ni enw newydd i ti,' meddai'r dyn teledu.

'Ar beth fyddwch chi'n seilio fy enw i?' holodd Davidde.

'Mae'r cwmni yn dwlu ar dy ddewis di o helmed.'

'Pam?'

'Pan fyddi di'n rasio, ie, maen nhw'n meddwl ei fod yn edrych fel tase 'da ti fwced ar dy ben?'

'Felly beth bydd fy enw rasio i, 'te?'

'Pen Bwced. Fe fyddi di'n lico'r criw cyfryngau. Maen nhw'n ddoniol, ie?'

Gorffennodd y gwasanaeth â phawb yn cymeradwyo Davidde. Roedd ar ben ei ddigon. Ar ôl siarad gyda'r dyn teledu, wrth iddo ddilyn llwybr o gwmpas y ysgol, teimlai fel arwr.

Yna cyrhaeddodd y wers Gelf.

A chyn iddyn nhw gyrraedd y wers, fe awgrymodd rywbeth i Dwayne na chroesodd ei feddwl erioed o'r blaen.

'Hei, Dwayne, beth os wnawn ni beidio mynd i'r wers? Licen i fynd lan i'r mynydd er mwyn gwneud 'bach o ymarfer.'

Roedd y syniad o beidio â mynd i wersi yn hollol newydd iddo fe, oherwydd cyn hyn, y gwersi oedd y fan ble teimlai Davidde yn fwyaf diogel. Ond nawr roedd ganddo bethau i'w gwneud a phethau i'w paratoi, a nawr roedd ysgol yn ymyrryd â'i fywyd. Roedd Dwayne yn hapus i fitsio gyda Davidde, ond aeth y blynyddoedd o ddilyn y rheolau yn drech na Davidde ac fe aeth i'r wers gyntaf wedi'r cyfan.

Roedd Miss Puws-Pyrfis yn ei stordy gyda'i phen ar ddesg, yn crio, a dyna lle roedd Ceri Ffys yn ffysian o'i chwmpas hi gyda hancesi papur a bag o golur.

'Wy ffaelu credu dy fod di wedi neud i Miss lefen,' meddai hi wrth Davidde, wrth daflu casgliad o hancesi i'r bin, hancesi'n llawn dagrau, llysnafedd a modfeddi trwchus o golur gwyn Miss.

'Davidde, Davidde, wyt ti yno? Tyrd i fewn, tyrd, tyrd, plis, tyrd i fewn,' meddai hi mewn dull theatrig.

Pan welodd Davidde hi, roedd e'n hollol gegrwth. Doedd e ddim wedi'i gweld hi heb ei hwyneb yn llawn colur o'r blaen. Meddyliodd erioed mai gwyn gwelw marwaidd oedd lliw naturiol ei chroen, ond nid dyna oedd y gwir. Roedd ei mascara a'i cholur llygad wedi lledaenu gan wneud iddi edrych fel panda, ac roedd Davidde yn hanner disgwyl iddi dynnu ffyn bambŵ o'i phoced a dechrau cnoi arnyn nhw, fel petai hi'n byw mewn rhyw fath o sw addysgol.

Wrth iddi siarad, roedd Ceri wrthi'n sychu'r dagrau oddi ar ei hwyneb a'i chysuro y byddai hi'n hollol iawn, y byddai ganddyn nhw'r dechnoleg golurol i'w hailadeiladu hi eto.

'Ble'r es i o'i le? Ble, Davidde? Ti oedd un o'r gora, a rŵan, ma gynnon ni lai na thair wthnos i orffan dy brosiect di, a be ti 'di neud?'

Dywedodd Davidde ddim gair achos roedd e'n teimlo'r fath gywilydd. Gwyddai nad oedd wedi gwneud dim byd o gwbl.

'Wyt ti isio cael dy dynnu allan o'r arholiad? Mi fedra i ganolbwyntio ar Kaitlinn yn unig. Ma hi bron â gorffan ei gwaith hi.'

'Na,' meddai, 'mi fydda i'n neud rhywbeth. Wy'n addo.'

Ond wnaeth e ddim gwneud unrhyw beth yr wythnos honno am ei fod wedi cynhyrfu gormod am y rasys.

8

Ar y nos Iau honno, gyrrodd Ralph Davidde a Dwayne i'r ras gyntaf yn Abercwmffrimpan. Benthycodd drelar o'r gwaith a'i fachu ar gefn y car. Teimlai Davidde yn hyderus. Allai e ddim aros. Treuliodd lawer o amser gyda'i dad yn siarad am rasio ac yn ceisio gweld y pethau allai ddigwydd yn ei ben. Roedd wedi trio gwneud pethau ar y Rec, gyda Dwayne yn ei amseru fe ac yn awgrymu ffyrdd o wella ei dechneg. Roedd e'n barod.

Pan gyrhaeddon nhw, tywyswyd nhw i'r ardal dechnegol lle bydden nhw'n cael gweithio ar y beic. Un o'r rheolau oedd nad oedd gan y cystadleuwyr hawl i siarad â'i gilydd ac roedd yn rhaid cadw pwy oedden nhw'n gyfrinach. Ac unrhyw adeg pan fyddai'r cystadleuwyr yn cael eu gweld gyda'i gilydd, naill ai wrth rasio neu wrth dynnu lluniau, byddai'n rhaid iddyn nhw wisgo'u helmedau gyda'r sgrins tywyll lawr a pheidio â siarad. Roedden nhw ond yn cael dangos eu hwynebau pan fydden nhw'n gadael y gystadleuaeth. Byddai dau yn gadael heno, dau yn yr ail rownd ac erbyn y ras olaf byddai dau rasiwr ar ôl.

Roedd Davidde, neu Pen Bwced fel y cawsai ei alw nawr, wedi derbyn siwt newydd o ledr glas sgleiniog ond roedd yn rhaid iddo wisgo'i helmed fawr ddu o hyd, ac roedd ganddo amlinell o fwced arian wedi'i beintio ar yr ochr. Yn cynrychioli pentref Shwt oedd Mysterion. Gwisgai siwt ledr ddu a helmed ddu gyda marc cwestiwn coch wedi'i beintio ar yr ochr. Beicwyr Glynwenci oedd Coco, oedd â chlown wedi'i beintio ar ei helmed e ac roedd Ceg-tun wedi'i wisgo o'i gorun i'w sawdl mewn arian. Yn cynrychioli Abercwmffrimpan yn eu milltir sgwâr oedd y ffefrynnau, sef Sebra, mewn du a gwyn a Rat-boi, mewn oferôls llwyd budr gyda helmed â chlustiau main arno.

Wrth i'r ras agosâu, roedd Davidde yn disgwyl y byddai'n teimlo'n nerfus, ond doedd e ddim. Teimlodd efallai y dylai deimlo'n nerfus, ond doedd e ddim. Dyna'i gyd oedd yn rhaid iddo fe ei wneud heno oedd gorffen yn y pedwar cynta, ac felly roedd ganddo ddwy siawns mewn tair o fynd drwodd i'r rownd nesaf. Doedd dim rhaid iddo ennill hyd yn oed.

Cododd Davidde ei law a chwifio pan gafodd ei gyflwyno a sylwodd fod dwylo rhai o'r raswyr eraill yn crynu wrth iddyn nhw godi llaw. Meddyliodd fwy na thebyg eu bod nhw'n nerfus ac y byddan nhw'n siŵr o wneud camgymeriadau. Os na fedrai gyrraedd y blaen, byddai'n rhaid iddo aros iddyn nhw wneud rhywbeth twp ac yna eu pasio nhw wrth iddyn nhw lithro a methu. Cafodd ei roi mewn man gwael ar y tu allan i'r gornel gyntaf, felly byddai'n rhaid iddo fod yn amyneddgar.

Arhosodd y beicwyr i'r glwyd fynd lawr. Cyfrifwyd lawr o dri ac yna, bant â nhw!

Wnaeth Pen Bwced ddim dechrau'n dda, ond doedd e ddim yn becso. Doedd e ddim eisiau gosod ei hun mewn sefyllfa beryglus o gael ei ddal yng nghanol criw o feicwyr ar y gornel gyntaf felly gadawodd i'r gweddill fynd drwodd yn gyntaf. Ar ddiwedd y tro cyntaf roedd e'n dal i fod yn y cefn ond doedd e ddim yn rhy bell i ffwrdd.

Ar yr ail dro, sylweddolodd fod y beicwyr yma o safon lawer uwch na'r hyn yr oedd Davidde wedi bod yn gyfarwydd ag e. Dechreuodd wneud rhai pethau peryglus, ond gwelodd, yn hytrach na dal i fyny, ei fod dim ond yn cadw wrth eu cynffonnau. Erbyn diwedd yr ail dro, roedd e'n dal i fod yn y cefn gyda Rat-boi ymhell ar y blaen, Mysterion y tu ôl iddo yntau, Coco nesa, gyda Ceg-tun a'r Sebra'n mynd am y pedwerydd lle gwerthfawr.

Erbyn y diwedd, cyrhaeddodd Pen Bwced gwerth hanner hyd beic y tu ôl i'r Sebra. Roedd y Sebra'n ceisio'i orau glas i ddal i fyny gyda Ceg-tun ac ar y tro olaf, gwnaeth rhywbeth ffôl a chlipio teiar cefn Ceg-tun ac fe dasgodd y ddau ohonyn nhw allan o reolaeth. Roedd Pen Bwced yn ymwybodol o'r ddau ohonyn nhw'n syrthio wrth iddo rasio drwy'r adwy a gorffen yn bedwerydd.

Roedd e drwodd!

9

Roedd Davidde yn gandryll. Roedd e wedi tanystyried ei wrthwynebwyr, ac roedd hi'n amlwg mai drwy lwc yn unig y llwyddodd i fynd drwodd i'r rownd nesa. Oedd e wedi disgwyl y byddai ei bresenoldeb yn ddigon i ennill? Roedd angen iddo wella. Byddai'n rhaid i Dwayne ac yntau weithio'n llawer caletach.

Yr wythnos wedyn aethon nhw ddim i'r ysgol. Yn hytrach, fe dreulion nhw ddyddiau pwy'i gilydd lawr ar y Rec yn gweithio ar strategaethau fyddai'n galluogi i Davidde fynd yn gyflymach. Roedd Dwayne yn meddwl bod Davidde yn treulio gormod o amser yn yr awyr ar ôl mynd dros dwmpathau. Fe'i gwobrwywyd am ei sylw pan orchmynnodd Davidde iddo fynd i chwilio am ramp er mwyn ymarfer arno. Meddyliodd

Dwayne y dylai ddweud wrth Davidde i fynd i chwilio am ei ramp ei hun, ond cnodd ei dafod. Ymddangosodd ugain munud yn ddiweddarach gan lusgo hen ddrws.

'Rho fe lawr fanna,' meddai Davidde, 'ac amsera fi'n mynd o'i amgylch.'

Ar ôl awr arall o ymarfer, teimlai Davidde yn hapusach ei fod yn treulio llai o amser gwastraff yn yr awyr.

'Wy am neud hanner awr arall wrth fy hunan, Dwayne. Wy ddim o dy isie di. Cer â'r drws a'i roi e yn y garej yn ddiogel.'

Gwibiodd Davidde i ffwrdd a dechreuodd Dwayne lusgo'r drws yn ôl tua'r gwli cefn cul. Plygodd ei wyneb yn grychau crac a mwmialodd i'w hun, 'Pwy ma fe'n meddwl yw e? Ydy e'n meddwl mai fy yw ei was e neu rwbeth?'

Sylweddolodd Dwayne mai dyma'r tro cynta iddo deimlo'n ddig ers iddo droi at Davidde yn hytrach na Lyndon, felly daliodd ati i lusgo'r drws. Erbyn iddo gyrraedd y gwli, roedd wedi argyhoeddi ei hun bod Lyndon a Davidde cyn waethed â'i gilydd, a thaflodd y drws yn ei dymer. Glaniodd ar ongl yn erbyn wal gefn Mr Leyshon. A dyna lle'r arhosodd y drws am weddill yr wythnos.

Roedd Ralph Bripsyn yn eistedd wrth fwrdd y gegin. Yfai de. Doedd e ddim yn smygu.

'A be sy 'da ti i weud drostat ti dy hunan?'

Wyddai Davidde ddim beth i'w ddweud.

'Fe dria i eto 'te. Ges i alwad ffôn heddi. O'r ysgol?'

'Ie?'

'O ie. Maen nhw'n gweud nad wyt ti bod 'na drwy'r wthnos.'

'Do'n i ddim yno. O'n i'n ymarfer.'

'Felly, ma'r beic yn bwysicach na ysgol ydy e?'

'Ers pryd wyt ti wedi becso shwd wy'n neud yn yr ysgol?'

Roedd hwn yn bwynt teg. Achos dros yr holl flynyddoedd y bu Davidde yn ddisgybl disglair, o fod yn ddisgybl arbennig, chymerodd Ralph ddim tamaid o sylw. A nawr roedd Davidde wedi dechrau cymryd dyddiau i ffwrdd roedd y peth yn bwysig iddo fe. Doedd hyn ddim yn deg. Yn y gorffennol fyddai Davidde ddim wedi herio'i dad, ond nawr roedd e'n benderfynol o ddal ei dir.

'Dwed wrtha i. Pryd wyt ti erioed wedi becso o gwbl?'

'Nawr, Davidde, wy'n sylweddoli falle nad ydw i wedi bod y tad gore erioed dros y blynyddoedd. Ac wy'n sylweddoli'n ddiweddar falle nad ydw i wedi bod yma'n gefn i ti ac wy'n teimlo'n wael am hynny ...

'Y peth yw, wy ddim yn gwbod amdanat ti, ond dyn ydw i, gydag anghenion, a ... beth wy'n trio gweud yw, ac wy ddim yn gwbod os fyddi di'n lico hyn neu beidio, ond un o'r rhesymau pan wy wedi bod yn treulio lot o amser bant o'r tŷ yw ... be wy'n trio gweud yw, ma wejen 'da fi.'

Doedd Davidde ddim yn hoffi hwn o gwbl. Safodd yn dalsyth ac edrychodd lawr ar ei dad a'i wyneb gwritgoch.

'Beth yw ei henw hi?'

'Mari. Mari Cyff. Mae ei merch Kaitlinn yn dy ddosbarth di.'

10

Roedd Davidde yn hollol nerfus ar gyfer yr ail ras yng Nglynwenci. Gyrrodd Ralph e draw, er nad oedden nhw'n siarad â'i gilydd, ac roedd Dwayne yn eistedd yng nghefn y car yn bwdlyd yn dweud dim chwaith. Fe drefnon nhw'n beic mewn tawelwch tra bod Davidde yn meddwl am ei wrthwynebwyr. Roedden nhw mor dda, pob un ohonyn nhw, ac roedd y rhai gollodd wedi bod yn dda hefyd. Fe fu'n lwcus. Cafodd ei synnu pan welodd mai merch oedd Ceg-tun. Cafodd ei henwi ar ôl beicwraig enwog roedd hi'n ei hedmygu ac nid achos bod ganddi geg wedi'i wneud o dun. Siaradodd yn huawdl ar ôl y ras a dymunodd bob lwc i bawb ar gyfer y rownd nesaf. Doedd Davidde ddim yn siŵr a fyddai e wedi bod mor hael.

Tapiodd Ralph e ar ei helmed. 'Ti'n barod i fynd?'

'Ydw.'

Aeth Dwayne i dapio'r helmed hefyd, ond symudodd Davidde a chael bys Dwayne yn ei lygad.

'Sori, byt.'

Tynnodd Davidde sgrin ei helmed lawr a gyrru at y glwyd gychwynnol. Roedd ei lygad yn dal i ddyfrio pan gododd ei law ar y dorf wrth gael ei gyflwyno, ac roedd ei law'n crynu. Roedd e am i bopeth ddechrau nawr er mwyn cael pob dim drosodd. Roedd ganddo safle cychwyn da y tro hwn, yr ail o'r llwybr mewnol. Roedd yn rhaid iddo dalu sylw manwl achos fedrai e ddim gweld yn iawn allan o'i lygad clwyfedig. Pan ddechreuodd y cyfrif i gychwyn y ras, roedd e'n canolbwyntio'n llwyr, a phan ddaeth y glwyd lawr aeth yn syth i'r blaen ac aros yno am weddill y ras a pheidio â gweld yr hyn oedd yn digwydd y tu ôl iddo gyda Mysterion yn curo Rat-boi a Coco o drwch blewyn.

Ceisiodd ddeall beth oedd hyn yn ei olygu. Yn y ras gyntaf bu'n olaf am y rhan fwyaf o'r amser, ac yn yr ail ras bu ar y blaen am y rhan fwyaf o'r ras. Dro yn ôl yr unig beth y poenai amdano fyddai gwneud yn dda yn yr ysgol, a nawr doedd e ddim yn poeni taten. Doedd e ddim wedi meddwl eilwaith am feiciau cyn hyn, a nawr roedd ei feddwl yn llawn beiciau. Doedd dim man canol. Oedd rhywbeth yn bod arno fe, tybed?

11

Ar nos Fercher, y noson cyn y ras ola, doedd Davidde dal heb siarad â'i dad ers iddo gyfaddef ei fod yn mynd mas gyda mam Kaitlinn. Roedd ei waed yn dal i ferwi. Iddo ef, edrychai fel brad. Sylwodd e ddim ar y bechgyn bach yn yr ysgol yn syllu arno fel petai'n dduw, yn edrych arno â'u llygaid led y pen, yn dyheu am ei sylw. Sylwodd e ddim ar yr athrawon yn edrych arno mewn dryswch pur, yn methu deall sut allai rhywun a fu mor ufudd a chydwybodol fod wedi mynd mor eithafol o wyllt. A sylwodd e ddim ar fechgyn yr un oed ag e, rhai ohonyn nhw'n ei edmygu am fod mor cŵl ac eraill na allai ei ddioddef am yr un rheswm.

Yr un peth y sylweddolodd oedd bod Dwayne yn cadw'i bellter oddi wrtho. Wnaeth e ddim aros gydag e'n ymarfer am oriau, yn amseru ei gyflymder ac yn wneud awgrymiadau. Tybiodd Davidde ei fod wedi symud ymlaen; nad oedd gan Dwayne ddim mwy i'w ddysgu iddo. Wel dyna ni 'te, meddyliodd, felly y dylai fod. Mae'r disgybl yn gadael ei athro o'i ôl. Fel'na fuodd pethau erioed, ac felly y mae ym Maesunig heddiw.

A'r peth gwaetha? Y peth gwaetha oedd y syniad y gallai fod, yr eiliad hon, hanner ffordd at fod yn llysfrawd i Kaitlinn Cyff. Roedd y peth yn warthus. Byddai'n rhaid iddo wneud ei orau i chwalu perthynas ei dad a Mari. Roedd yn eitha siŵr fod Kaitlinn yn teimlo'n union yr un peth ag yntau. Efallai y medren nhw ddod o hyd i ffordd o gydweithio a rhoi stop ar y berthynas. Yr oedd, wedi'r cyfan, o fudd i'r ddau ohonyn nhw tasai'r peth yn dod i ben.

Roedd Davidde yn meddwl am ei broblemau ar y ffordd yn ôl o'r Rec. Roedd e'n gwthio'r beic lawr y gwli tu ôl i'r tŷ, pan welodd e rywbeth anghredadwy.

Roedd yn dechrau tywyllu a doedd neb arall o gwmpas.

Arhosodd Davidde. Methai gredu ei lygaid.

Yn pwyso yn erbyn y wal yn ei gwli fe roedd

beic sgramblo hynod gyfarwydd iddo.

Beic sgramblo Mysterion. Y beic fyddai'n rasio yn ei erbyn yn y ras olaf.

Edrychodd o'i gwmpas. Meddyliodd am eiliad a fyddai'n medru niweidio'r beic, fel y gwnaeth Dwayne i feic Lyndon.

Gallai wneud twll bach yn un o'r teiars. Fyddai'r teiar yn mynd lawr yn araf, a fyddai neb yn sylwi cyn y ras, gobeithio. Byddai'n colli aer yn raddol wrth i'r ras fynd yn ei blaen, gan roi gwell cyfle o lawer i Davidde. Nid twyll oedd hyn, dim ond cynyddu ei siawns o ennill. Roedd ganddo'r gyllell fach yn ei boced, yr un rhoddodd Dwayne iddo pan gafodd ei feic. 'Ti ddim yn gwbod pryd ddaw hi'n handi,' meddai Dwayne. Wel, byddai'n dod yn handi nawr. Tynnodd hi o'i boced ac edrych o'i gwmpas. Agorodd y llafn ar gyfer tynnu cerrig allan o garnau ceffylau. Dyma'r tro cyntaf erioed iddo fod ei hangen.

Edrychodd eto – doedd neb o gwmpas. Aeth e lawr ar un pen-glin a rhoddodd y gyllell yn erbyn y teiar. Paratodd ei hun i wthio'r llafn mewn yn araf. Cymerodd un edrychiad bach arall o'i gwmpas.

Gwthiodd y llafn, roedd y teiar yn galed.

Byddai'n cymryd gwthiad go iawn i wneud twll yn y rwber. Edrychodd o'i gwmpas eto. Dim ond twll bach, dyna i gyd, dim byd gwerth sôn amdano.

Yna, yn union pan oedd am wthio blaen y gyllell yn ddwfn i'r teiar, synhwyrodd fod rhywun yn ei wylio. Edrychodd dros ei ysgwydd. Y Marchog Du oedd yno, yn ysgwyd ei ben, a gwyddai Davidde ei fod yn siomedig. Trodd y Marchog Du i ffwrdd, yn ysgwyd ei ben yr holl amser. Newidiodd y tymheredd yng nghorff Davidde. Fe wyddai ei fod e'n gwneud y peth anghywir.

Agorodd drws – drws ei dŷ. Gwelodd helmed ddu gyda marc cwestiwn coch ar ei hochr. Clywodd lais roedd Davidde yn ei adnabod.

'Hei, be ti'n meddwl ti'n neud?'

Safodd Davidde i fyny'n rhy gyflym a llifodd y gwaed o'i ben. Ceisiodd symud i ffwrdd o'r beic ac edrych yn ddiniwed yr un pryd ond syrthiodd dros ymyl y pafin, a safodd Mysterion uwch ei ben.

'Do'n i, do'n i ddim yn neud unrhyw beth, o'n i jyst yn cael pip ar y beic.'

Tynnodd Mysterion ei helmed.

Roedd Davidde yn gegrwth.

Kaitlinn Cyff oedd Mysterion.

'O't ti'n mynd i fela gyda 'meic i, yn union fel gest ti Dwayne i fela gyda beic Lyndon. Wy'n gwbod popeth amdanat ti, y collwr gwael.'

Wnaeth Davidde ddim trafferthu gwadu unrhyw beth.

'Ti'n gollwr, fel dy dad. Alla i ddim gweld beth mae Mam yn gweld ynddo fe, wir Dduw i ti. Dyna beth wy wedi bod yn ei weud wrthyn nhw nawr.'

'Cau dy ben am Dad, wnei di? O'dd dim byd yn bod arno fe nes iddo fe ddechre gweld dy fam di. Alla i ddim delio gyda'r ffaith ei fod e wedi mynd yn sopi a sensitif.'

'Gwranda'r collwr, ti'n mynd i golli fory yn fy erbyn i, yn gwmws fel ti'n colli yn fy erbyn i ym mhob dim. Gyda ti, rhaid iddo fe fod yn bopeth neu'n ddim – bod yn dda ar y beiciau, neu bod yn dda mewn Motocross. Naill ai un neu'r llall yw hi i ti. Pam na alli di weld bo ti'n gallu neud y ddau? Alli di neud yn dda yn dy wersi a neud pethe tu fas yr ysgol, a bod yn dda ynddyn nhw hefyd. Ma bechgyn jyst mor dwp.'

Meddyliodd Davidde am y peth. Gwnaeth lawer o waith ar ei feic ac roedd pethau eraill wedi dioddef yn ei sgil. Fel ei brosiect Celf.

'O ie, dyw Miss Puws-Pyrfis ddim yn hapus iawn gyda ti chwaith. Mae'r arholwyr Celf yn dod i'r ysgol y diwrnod ar ôl fory i edrych ar ein prosiectau ni. Wy wedi gorffen fy un i. Ti heb. Ma diwrnod 'da ti. Collwr.'

Breuddwydodd Davidde am y Marchog Du am y tro ola y noson honno. Roedd e wedi cael noson ddiflas ar ei ben ei hun yn y tŷ. Aeth ei dad i aros gyda mam Kaitlinn ar ôl iddyn nhw ddadlau gyda Kaitlinn, felly doedd Ralph ddim yno i ddeffro Davidde ar fore'r ras olaf.

Noson aflonydd o gwsg gafodd Davidde. Pan gysgodd e, fe welodd y Marchog Du'n edrych arno wrth iddo geisio ymhel â beic Kaitlinn. Rhedodd Davidde ar ôl y Marchog, ond methodd ddal i fyny. Pan fyddai bron â chyrraedd, byddai'n deffro yn chwys drabŵd. Yn y pen draw, ar ôl cael yr un freuddwyd bedair neu bump o weithiau, fe'i daliodd. Trodd y Marchog Du o gwmpas i wynebu Davidde. Agorodd sgrin yr helmed wrtho'i hun. Teimlai Davidde y dylai edrych i ffwrdd. Teimlai'n ofnus. Edrychodd y tu mewn i'r helmed.

Doedd dim byd yna.

Roedd yn hollol wag.

Eisteddodd Davidde i fyny yn ei wely. Roedd yn amser codi.

Cyrhaeddodd Ralph y tŷ pan oedd Davidde yn bwyta'i frecwast. Ddywedodd Davidde ddim byd wrtho.

Eisteddodd Ralph gyferbyn â Davidde a gwydraid o sudd oren yn ei law. Edrychai'n wan, wedi'i lorio'n llwyr.

'Y Kaitlinn 'na, mae'n dipyn o lond llaw, yndyw hi?'

Allai Davidde ddim peidio nodio mewn cytundeb.

'Falch bo fi ddim yn yr ysgol gyda hi. Mae hi off ei phen, myn.'

Roedd Davidde yn gwenu nawr. Dyma'r agosaf iddo deimlo at ei dad ers tro byd. A Kaitlinn ddaeth â nhw ynghyd. Roedd rhaid i Davidde gyfadde ei fod yn edmygu'r ffordd roedd hi wedi cyfuno ei gwaith ysgol gyda'i gyrfa sgramblo. Doedd e ddim wedi ystyried fod hyn yn bosibl, ond roedd hi wedi llwyddo, heb os. Am gamp.

'Nawr, Davidde, ma rhai pethe wy angen eu hesbonio i ti cyn i fi fynd i'r gwaith. Fe wela i ti cyn y ras heno ond fyddi dim mewn unrhyw siâp i wrando arna i fwy na thebyg, felly mae'n well os wna i siarad â ti nawr, fel dyn.'

Pesychodd.

'Y peth yw Davidde, er gwaetha ymdrechion gore Kaitlinn, ma Mari a fi, ni wedi dyweddïo. Nawr wy'n deall falle y byddi di'n ypset, ond ma pethe'n symud mlân. Wy'n siŵr y bydde dy fam yn olréit 'da fe. Ni am gal parti heno yn y Clwb, ar ôl y ras. Bydden ni'n dwlu taset ti'n dod draw ar ôl pob dim.'

Meddyliodd Davidde.

'Mi fydda i yno,' meddai. 'O't ti'n gwbod mai Kaitlinn oedd Mysterion?'

'Ro'dd e'n syrpréis i fi. Ro'dd e'n syrpréis i'w mam hi hefyd. Do'dd hi ddim yn gwbod y peth cynta amdano fe. Ro'dd hi'n neud pob dim pan fydde hi'n ymweld â'i thad ar benwythnose. Ma fe'n lico beics hefyd, mae'n debyg.'

Oedodd Ralph am eiliad.

'Diolch, Dai. Fe gadwa i gwpwl o frechdane i ti. Ma rhwbeth arall wy isie i ti wbod hefyd.'

'Beth?'

'Sdim ots os ti'n ennill neu'n colli heno. Fydda i'n dal i dy garu di, ti'n gwbod hynny. Ond,' meddai ac oedi, 'byddai'n hollol wych taset ti'n chwalu Kaitlinn yn rhacs heno. Ma hi'n mela gyda 'mhen i.'

'Paid â becso, Dad,' meddai Davidde. 'Fydda i'n hala hi am fwgyns.'

Aeth y diwrnod ysgol heibio fel breuddwyd. Canolbwyntiai Davidde ar y ras yn llwyr. Sylwodd e ddim faint o ewyllys da oedd gan bobl tuag ato. Er nad oedd neb fod i wybod pwy oedd e, roedd y cyfan yn gyfrinach agored. Dymunodd y disgyblion a'r athrawon y gorau iddo ond fe grwydrodd e'n ddibwrpas o un wers i'r nesa heblaw am y wers Gelf, aeth e ddim i honno. Arhosodd yn y tai bach yn lle hynny. Gwyddai fod yn rhaid iddo orffen ei brosiect celf erbyn fory, ond doedd e didm yn gwybod sut roedd e am wneud hynny.

Daeth Dwayne mewn hanner ffordd drwy'r wers.

'Iawn, Dwayne?'

'Iawn byt?' Doedd dim chwant siarad ar Dwayne.

'Unrhyw awgrymiadau am heno, Dwayne?'

'Ddim mewn gwirionedd, byt. Ond ma

Mysterion yn eitha da.'

'Kaitlinn Cyff yw Mysterion.'

'Ca' dy ben!'

'Wir yr, byt.'

Meddyliodd Dwayne am y peth am ychydig.

'Dyw hi ddim wedi arfer â bod ar y blaen, felly gad iddi hi osod y cyflymder ac arhosa gyda hi am y ddau dro cynta. Paid â mynd heibio iddi. Arhosa nes y troad ola ac yna agora'r sbardun – paid â mynd heibio iddi cyn hynny. Weden i bod ei beic hi'n fwy cyflym na dy feic di dros bellter y ras i gyd ond mae dy un di'n gyflymach dros bellter byr. Paid â gadael iddi ga'l gormod o bellter arnat ti 'chos ma hi'n eitha da. Ddim jyst yn eitha da am ferch chwaith. Ma hi'n dda, wy'n meddwl. Wy ddim yn trio bod yn rhywiol.'

'Rhywiaethol, Dwayne, ti ddim yn trio bod yn rhywiaethol.'

'Beth byns, byt.'

Rhoddodd Davidde ei law ar ysgwydd Dwayne.

'Diolch, Dwayne.'

'Dim problem. Stica di i'r cynllun heno. Iawn?'

'Iawn.'

'Diolch.'

12

Roedd hi fel carnifal ym Maesunig y noson honno. Roedd yr haul yn disgleirio a thorfeydd yn crwydro o gwmpas ar y Rec yn aros i'r ras i ddechrau, yn codi llaw ar y camerâu ac yn bwyta cŵn poeth a byrgyrs o'r faniau a ymddangosodd o nunlle ar gyfer y digwyddiad. Daeth Dom Baw draw i siarad â Davidde am y tro olaf.

'Torra goes, ie?'

'Ie?'

'Ie – byddai hynny'n ardderchog ar gyfer y ffigurau gwylio. Dim ond jocan. Pob lwc, ie?'

'Ie.'

Am unwaith roedd Davidde yn teimlo'i fod rhyw hanner ffordd rhwng bod yn nerfus a bod yn hyderus. Roedd e'n dal i feddwl hefyd am sut fyddai'n gorffen ei waith Celf erbyn yfory – roedd yn brofiad newydd iddo fod yn meddwl am ddau beth ar yr un pryd.

Ysgydwodd Kaitlinn ac yntau ddwylo wrth y glwyd gychwynnol ar ôl iddyn nhw gael eu cyflwyno i'r dorf a chlywyd bonllefau gan bawb. Yna aeth y glwyd lawr ac ro'n nhw bant!

Dechreuodd Pen Bwced yn dda, cyrhaeddodd y troad cynta cyn Mysterion, ond yna roedd hi wedi dal i fyny ag e. Cymerodd Pen Bwced drywydd llydan ar yr ail dro a llwyddodd Mysterion i lithro ar y blaen. Am weddill y cylch, cadwodd Pen Bwced ei bellter oddi wrthi, ond ddim yn rhy bell chwaith ac ymatal rhag gwneud dim byd peryglus. Meddyliodd am yr hyn ddywedodd Dwayne – paid â mynd heibio iddi hyd nes y troad ola. Pan oedd hi'n fater o rasio, roedd Dwayne yn gywir bob tro. Cadwodd Pen Bwced at y cynllun.

Ymddangosai fod Dwayne yn hollol gywir. Ar yr ail dro roedd Mysterion yn arafach. Teimlai Pen Bwced hi'n anodd i wrthsefyll y demtasiwn i fynd heibio iddi, ond dyna a wnaeth. Ar y trydydd tro, roedd hi'n arafach fyth, ond cadwodd Pen Bwced yn dwt y tu ôl iddi. Arafodd hyd nes ei bod hi'n mynd ar gyflymder cerdded, yna daeth i stop cyn y troad ola. Arhosodd Pen Bwced yn ei hymyl.

Agorodd flaen ei helmed.

'Be ti'n neud?' meddai.

'Wy'n stico i'r cynllun,' atebodd Davidde ar ôl agor blaen ei helmed yntau.

'Sef?'

'I aros gyda ti hyd nes y troad ola a wedyn dy basio di ar y darn ola.'

'A chynllun pwy yw hwn?'

'Dwayne.'

'Tase Dwayne wedi gweud wrthot ti i hwpo hoelion rhwdlyd mewn i dy lygaid, fyddet ti'n neud hynny?'

'Bydden, tase fe'n helpu fi i ennill.'

'Gwranda, roies i lwyth o gyfleoedd i ti fynd heibio, a chymerest ti mohonyn nhw. Os wy'n onest, sdim taten o ots 'da fi am ennill. Dim ond beic twp yw'r wobr a ma un 'da fi'n barod a gallen i neud heb y ffys. Ddylet ti fod wedi mynd heibio, fyddet ti wedi ennill, ond o'dd rhaid i ti stico wrth dy dipyn cynllun.'

Doedd y dorf wedi drysu – pam oedd y ddau wedi dod i stop? Trodd y bonllefau'n dawelwch, ac yna clywyd rhai yn gweiddi bŵ.

Meddyliodd Davidde, yna dywedodd, 'Ti'n iawn, Kaitlinn. P'run a yw e'n ysgol neu'n feics, wy'n canolbwyntio ar un peth ac anwybyddu popeth arall. Ond os ydw i'n ennill y ras yma, beth ydw i'n ca'l?'

'Beic newydd neis?'

'Ie, ond ble bydd hwnna'n mynd â fi?'

'I lwyth o lefydd – beic yw e, yntife.'

'Na, wi'n siarad am yn ddwfn tu fewn i fi.'

'Ti'n siarad am feic sy'n mynd â ti i rywle dwfn tu fewn i ti. Wyt ti ar gyffuriau neu rwbeth?'

'Drycha, sdim amser 'da fi i i esbonio, ond hyd yn oed os yr enilla i, wy isie i ti ga'l y beic.'

'Ond bydd seremoni. Byddan nhw isie roi'r beic i'r enillydd.'

'Dwed wrthyn nhw y gallwn ni ei rannu fe. Ma'n rhaid i fi fynd 'nôl i'r ysgol cyn iddi gau – mae dosbarthiade nos mlân heno a gobeithio bydd y stafell Gelf yn dal ar agor.'

'Ti'n siŵr?'

'Ydw.'

'Ie?'

'Ie.'

'Iawn 'te. Barod, bant â ni!'

Gadawodd Kaitlinn cyn gorffen dweud 'bant'. Dechreuodd Davidde ar ei hôl hi. Roedd y ddau ohonyn nhw'n rasio at y llinell derfyn. Ffrwydrodd y dorf yn eu cynnwrf. Gallai Davidde deimlo'i hun yn gwenu a theimlai'r beic oddi tano'n ei gario tuag ymlaen. Roedd yn agosáu at Kaitlinn. Roedden nhw ysgwydd wrth ysgwydd ac fe arhoson nhw fel yna am rai eiliadau. Yn y diwedd, llwyddodd pŵer beic Davidde dros bellter byr i'w goddiweddyd, ac fe groesodd e'r llinell derfyn ryw hanner olwyn o'i blaen hi.

Roedd Davidde wedi ennill!

Ar y llinell derfyn roedd y trefnwyr yn sefyll gyda thorch o flodau a photel o bop yn barod i'w rhoi iddo ar y llwyfan bach, ond wnaeth e ddim aros – daliodd ati i reidio ar yr un cyflymder.

Doedd e ddim yn gwybod beth oedd am ei wneud. Roedd e'n cynllunio mynd gartre gynta, er mwyn codi rhai pethau oddi yno ac yna droi am yr ysgol. Roedd adre cyn iddo sylweddoli bron, a gyrrodd ar hyd y gwli y tu cefn i'r tŷ, heb boeni y byddai Mr Leyshon yn ei weld. Roedd hi'n rhy hwyr i boeni am bethau felly nawr. Rhuodd i fyny'r gwli ar ras, ond roedd rhwystr ar y ffordd – y drws y gadawodd Dwayne, yn gorwedd ar ongl, fel ramp, dros wal Mr Leyshon.

13

Roedd Mr Leyshon wedi bod yn tendio'i domatos yn ei dŷ gwydr. Weithiau byddai Mrs Leyshon yn hoff o ddweud ei fod e'n caru'i domatos yn fwy nag yr oedd yn caru ei wraig, ac ar un olwg, roedd hi'n iawn. Fyddai'r tomatos ddim yn dannod iddo nac yn rholio'u llygaid pan fyddai'n dweud rhywbeth y bydden nhw'n anghytuno arno. Tendiodd arnyn nhw â thynerwch mawr, ac wrth iddyn nhw dyfu, byddai yntau'n eu bwyta. Ac roedd eleni am fod yn gynhaeaf toreithiog – mi fydden nhw'n barod ymhen wythnos neu ddwy. Roedd Mr Leyshon yn falch o'i waith. Llithrodd y drws ynghau ar ei dŷ gwydr ac aeth i eistedd ar y patio er mwyn cael paned o de yn haul diwedd y dydd.

Meddyliodd am y ffordd yr oedd wedi bod

ychydig bach yn ddiflas yn ddiweddar, ond heddiw roedd yr haul yn gwenu, ei dŷ gwydr yn daclus a'i domatos yn ffynnu. Roedd popeth yn dda. Allai hen sŵn afiach y beiciau sgramblo yna ddim effeithio ar ei dymer. Rhoddodd e'r gorau i ffonio'r heddlu amdanyn nhw hefyd. Dyma frwydr na fyddai e byth yn ei hennill, felly cyn belled â'u bod nhw'n aros ar eu tir hwy, fyddai e ddim yn poeni'r plismyn lleol. Roedd e'n ymwybodol fod cystadleuaeth wedi bod yno'r noson honno. Wel, cyn belled â'i bod nhw'n cadw'u pellter, doedd e ddim am boeni am y peth.

O nunlle, daeth sŵn fel petai beic yn dod yn agosach. Gwnaeth Mr Leyshon ei orau i beidio ag ymateb iddo, ond roedd yn teimlo ychydig bach yn bigog nawr. Aeth yn uwch ac yn uwch. Safodd yn ddryslyd. Roedd yn rhaid iddo fynd allan i'r gwli i weld beth oedd yn digwydd. Y sŵn yn uwch eto, yna sŵn beic yn taro rhywbeth.Gwelodd helmed yn ymddangos dros ei wal gefn ar yr un lefel â'i ben. Yna gwelodd freichiau, corff a chyrn beic, ac yna'r beic cyfan yn teithio mewn bwa perffaith dros ei wal. Am eiliad, wrth iddyn nhw hedfan, edrychai fel petai'r beic a'i farchog yn hongian yn hollol lonydd yn yr awyr, ac roedd hyd yn oed Mr

Leyshon yn ymwybodol o brydferthwch llwyr yr hyn a welai. Yna sylweddolodd nad oedd affliw o ddim y medrai ei wneud i'w atal rhag tasgu drwy ei dŷ gwydr.

Bwriodd y teiar blaen drwy'r to; yna clywyd sŵn cracio ac yna gwydr yn chwalu ar lawr. Hyrddiodd y beic drwy'r gwydr a dilynodd Davidde ar ei ôl. Achubodd ffrâm y beic ef rhag y glatsien pan drawodd y beic y llawr. Cafodd ei daflu dros gyrn ei feic chwilfriw a glanio'n glewt ar ei gefn yn ei ddillad lledr wrth draed Mr Leyshon.

Roedd ennyd o dawelwch. Agorodd Davidde ei lygaid. Roedd cymylau yn yr awyr. Teimlai'n hyderus nad oedd wedi marw. Cadwodd ei ddillad lledr ef rhag niwed ac fe'i taflwyd yn glir o'r rhan fwyaf o'r gwydr. Teimlai'n falch am hynny. Safai cysgod â siâp dynol drosto. Eisteddodd i fyny'n araf. Gallai symud o hyd.

Tynnodd ei helmed.

'Ti!' llefodd Mr Leyshon, wrth iddo estyn am un o'r blanhigion tomatos toredig a dechrau bwrw Davidde dros ei ben gydag e.

'Gall e gario mlaen,' meddyliodd Davidde i'w hun yn dawel. 'Wy'n haeddu hwn. Gall e neud ei waetha.'

Daeth Mrs Leyshon allan i weld beth oedd achos y sŵn mawr. Cafodd gryn syndod o weld ei gŵr yn ymosod ar ei chymydog ifanc gyda'i blanhigion yng nghanol chwalfa o wydr a beic sgramblo, fel na allai hi ddweud gair i ddechrau. Ond teimlodd fod rhaid iddi ymyrryd pan ddechreuodd Mr Leyshon daflu tomatos aeddfed tewion at ben Davidde mor galed ag y medrai.

'Beth ar wyneb daear sy'n mynd mlân?'

'Mrs Leyshon. Mr Leyshon. Ry'ch chi wedi bod mor dda i fi a Dad dros y blynyddoedd. Ry'ch chi wedi 'magu i, wedi'n helpu i gyda'r pethau nad o'dd Dad yn gallu fy helpu i. Ac wy'n diolch i chi am hynny. Yn ddiweddar, wel, wy ddim wedi bod o gwmpas llawer, a wy wedi neud rhaid dewisiade, rhai ohonyn nhw'n anghywir. Ond wy wedi bod ar daith, chwel', ac aeth rhan ola'r daith ddim cystal, gan bo fi wedi gyrru mewn i'ch tŷ gwydr chi a phob dim. Ond fe alla i gywiro'r tŷ gwydr, wy'n addo, wy newydd gael arian yn annisgwyl. Y peth yw, wy'n gwbod mai dyma'r amser anghywir i ofyn, ond wy wir angen ffafr. Wy angen mynd â rhai pethe i'r ysgol yn eich car chi.'

14

Y bore wedyn, gyrrodd Miss Puws-Pyrfis i'r ysgol â'r fath ddicter na welodd Mr Rastud erioed o'r blaen. Roedd e'n esgus cysgu pan rhuodd hi drwy'r strydoedd culion fel peth gwyllt. Roedd hi'n gandryll am fod Davidde wedi'i siomi hi. Meddyliodd am yr holl help roddodd hi iddo dros y blynyddoedd, a'r holl gelwydd a ddywedodd e'n ddiweddar. Roedd hi am edrych fel ffŵl o flaen yr arholwyr. Byddai'n rhaid iddi gael swydd arall. Allai hi ddim â delio gyda siom a chywilydd y sefyllfa.

Roedd gwaith Kaitlinn yn llenwi un gornel yn ei hystafell – y Ceffyl Celtaidd – yn lliwiau bywiog a syniadau llachar, wedi'i greu â'r fath sgil a manylder. Ond roedd canol yr ystafell wedi newid. Symudwyd y byrddau, ac roedd beic yn y canol, ei olwyn flaen a'i gyrn wedi'u gwasgu'n fflat yn erbyn y llawr a'i olwyn gefn yn yr awyr, fel petai wedi tasgu drwy'r nenfwd. O'i gwmpas roedd gwydr, tŷ gwydr gyda thwll yn ei do lle'r edrychai fel petai'r beic wedi glanio drwyddo. Roedd darnau o wydr yn hongian oddi ar linynnau. Dyma ailgread o'r foment yn union ar ôl i feic sgramblo fynd drwy do tŷ gwydr.

Fe greodd Davidde osodiad celfyddydol – Chwalfa!

Cododd hwyliau Miss Puws-Pyrfis. Roedd yn ddarn da o waith, ddim cystal â gwaith Kaitlinn, ond yn ddigon da i basio. Rhywsut, doedd Davidde ddim wedi'i siomi hi wedi'r cyfan.

Y noson cynt, ar ôl gorffen ei waith yn yr ysgol gyda help Mr a Mrs Leyshon, tua 10 y nos, cyrhaeddodd Davidde y parti dyweddïo, oedd yn ei anterth.

Cafodd ei dderbyn fel arwr, a phawb eisiau ysgwyd ei law, ac er mawr syndod iddo, tynnai ymlaen yn eitha da gyda Kaitlinn. Daeth Mr a Mrs Leyshon draw hefyd, a Dwayne ac roedd y bois yno'n ogystal.

Roedd hi'n gynnes, clos a chwyslyd yn y clwb,

yn enwedig i Davidde oedd yn dal i fod â darnau o domato yn ei wallt. Aeth y tu allan i gael ychydig o awyr iach.

Ar y ffordd, cerddodd heibio i Dwayne.

'Ble ti 'di bod, byt?' gofynnodd.

'Newydd orffen fy mhrosiect Celf.'

'Na, wir? Bydd Miss wrth ei bodd!'

'Dwayne. Wy isie gweud diolch. Ti 'di bod yn ffrind arbennig i fi.'

Fe ysgydwon nhw ddwylo.

'Gwranda, fi'n gorffod mynd,' meddai Dwayne. 'Wy'n gorffod rhoi'r *pork scratchings* 'ma i Ceri.'

'Gwna di hynny, Dwayne. Bydd hi'n joio nhw.'

Aeth Davidde y tu allan.

Wrth iddo sefyll ar y palmant, clywodd sŵn injian beic modur. Daeth y beic i fyny'r stryd, ac aros o flaen Davidde. Y Marchog Du oedd yno.

Cododd sgrin yr helmed eto. Y tro hwn, roedd wyneb yna. Gwenodd y Marchog Du ar Davidde gyda balchder, yna caeodd y sgrin a gyrrodd ymaith, gan ddiflannu i'r nos, am y tro ola.

15

Mam Davidde oedd y Marchog Du.

Yr Awdur

Cafodd Huw Davies ei fagu yn Nantyffyllon, ar bwys Maesteg, yn ne Cymru, ac astudiodd Saesneg cyn dod yn athro. Roedd e eisiau bod yn awdur ers iddo fod yn fachgen ifanc, ond cymerodd sbel iddo sylweddoli y byddai'n rhaid iddo wneud tipyn bach o ysgrifennu er mwyn cyflawni hyn.

Fel athro, teimlai nad oedd digon o 'lyfrau dafft ar gyfer bechgyn dafft' ar gael felly dechreuodd weithio ar *Sgramblo*. Lleoliad y llyfr yw Maesunig, tref ffuglennol sy wedi cael ei seilio'n fras ar Nantyffyllon.

Mae Huw yn aelod o'r band Nimrodsound, ac mae e'n byw yng Nghaerfyrddin gyda'i wraig a thri o blant.